女子大生会計士、はじめました

藤原萌実と謎のプレジデント

山田真哉

角川文庫 14894

「カッキー、この『女子大生会計士、はじめました』の見所はなんなの？」

「そうですね、いろいろありますよ。はっはっはっ」

「もったいぶらずに、さっさと言いなさいよ」

「本当にいろいろとあるんですってば。東京と大阪を縦横無尽に駆け回ったり、現金一億円の謎を追ったり、殺人事件に出くわしたり、演劇をやったりと、見所はひとつには絞れませんよ、萌さん」

「うーん。でも、やっぱり、私の会計士デビューの話が一番素敵なんじゃないかしら。だって、あの頃の私も、可憐《かれん》で、華麗で、優美で、優秀で、秀逸で、殊勝で、健気《けなげ》で、爽快《そうかい》で、痛快で、可憐で――」

「も、もういいですから。萌さんの昔話が一番の見所だということでいいですから。さりげなく『あの頃の私も』とか言っていますし、なぜか可憐が二回出てきていますし」

「間違ったことを言っているわけじゃないんだから、別にいいじゃない。というわけで、このシリーズのまた違った一面が見られるかもしれない『女子大生会計士、はじめました』のはじまりはじまり～」

CONTENTS

女子大生会計士、はじめました

藤原萌実と謎のプレジデント

カバーイラスト／久織ちまき
カバー＋本文デザイン／西村弘美（角川書店装丁室）

監査ファイル1

〈アキハバラ会計士遁走曲《フーガ》〉事件

——インターネット販売の話——

1

大阪から東京に帰る新幹線の中。

「も、萌《もえ》さん。僕、初めてのグリーン車ですよ！　ウワァッ、足を置くところがありますよ。すごい、まるで深夜バスみたいじゃないですかっ！」

「——はい、はい。それはよかったわね」

萌さんは僕のほうを振り向きもせず、片肘《かたひじ》をついたまま窓の外を眺めていた。足を組みかえると、膝《ひざ》にかけていた毛布がずれて、綺麗《きれい》な足首がのぞいた。

ん？　毛布？

「あーっ、萌さん、いつの間に毛布なんか！　ていうか、すごい、まるで飛行機みたいですね‼」

「あー、もう、うるさいっ！　カッキー、アンタ、いったいいくつなのよ⁉」

「……さ、三十と少しばかりです……」

萌さんのかわいい目が三角になったのを見て、僕は小さくなった。しかし反省したのもつかの間。

「――あっ、萌さん、今度はおしぼりが来ましたよ！」

「……アンタねえ……」

往査《おうさ》の帰り、僕は初めてのグリーン車に興奮していた。

往査とは、クライアント先までおもむいて監査をすることである。つまり、僕らは監査法人の人間で、いわゆる公認会計士である。……と、言いたいところだが、実は僕はまだ「会計士補」で、「公認会計士」ではない。まあ、見習いのインターンのようなものだが、会計士には違いないので、あまり気にしないで欲しい。

「アンタねー。そのはしゃぎっぷりは、みっともないから、やめなさいよ」

僕の上司である萌さんは、白い目で僕を見た。上司と言っても僕より年下で、まだピチピチの二十代であることを、萌さんの名誉のためにつけ加えておこう。

「でも、生まれて初めてなんですよ。生まれて初めて！」

いつもは普通車なのだが、今回はクライアントがチケットの用意をしてくれて、それが、なんと、ななんと、グリーン車だったのだ！

「萌さん」

僕は声をひそめた。

「なによ」

「芸能人は乗っていないんでしょうか」

「はあ？」

「大阪―東京間のグリーン車といえば、いかにも誰かが乗っていそうじゃないですか。実はさっきですね……」

僕がさらに声をひそめると、萌さんが耳を近づけてきた。

「国会議員を見ちゃったんです！」

「……は？」

「あの、赤くて大きいバッジを、この目で見ちゃったんですよ〜〜！」

僕が興奮して話すと、萌さんは心底ケーベツしたような目で僕を見た。

「ばっかじゃないの。どうせ脂ぎった、ただのオッサンでしょ」

「それはそうですが、バッジから辺りを払う威厳というものが感じられましたよ。そういえば、この間、合コンに行ったら弁護士のヤツが一人いて、女の子の目があの金ピカのバッジに釘《くぎ》付けになってました。カッコいいバッジは、いいですねえ」

「へえ〜〜〜〜え、合コンね」

「う、いえ、問題はそこではなく、どうして僕たち会計士のバッジは、恥ずかしくてつけられないほどダサいんでしょうね」

「ああ、あのデカデカと〝CPA〟って書かれたやつね。私、あんなのつけなきゃいけないんなら、会計士なんて辞める」

「萌さんは〝CPA〟だからまだいいじゃないですか。会計士補にいたっては、〝JA〟なんですよ、〝JA〟。僕、親に見せたら『農協か⁉』って言われました——それにしても、萌さん、さすがグリーン車、揺れが少ないですね！」

「そんなわけないでしょ！　カッキー、アンタの妄想ドリームはいったいどこまで広がってるのよ。だいたい、来るときも乗ったじゃないの。まだ一昨日の話よ」

「……萌さん。来るときのことを覚えていないんですか」

僕は暗い声で言った。

「あっ——そうだったわね。すっかり忘れていたわ。もう随分と前の話だし」

「まだ一昨日の話って言ったのは、萌さんじゃないですか！」

来るとき、僕はグリーン車には乗れず、普通車（しかも自由席）だったのである。

理由は、萌さんが忘れ物をしたとかで僕が東京駅から事務所まで取りに帰ったため。予約していた列車には当然間に合わず、僕だけが一本遅れる羽目になったのだ。

「萌さんのせいで、僕はグリーン車一回分乗り損ねたんじゃないですか〜〜っ」

「だって、仕方ないでしょ！　ホームで会社の人が待ってるって言うんだから、主査が遅れるわけにはいかないじゃない」

「そもそも忘れ物をしたのが悪いんです！　——と、これは失礼いたしました」

僕はハッと気づいて、息を整えた。

「コホン。ここはグリーン車ですから、もっと静かに、もっと紳士的に振舞わなければなりませんでしたね」

「はあ？」

「グリーン車は大人の空間、グリーン車はビジネスマンの味方。ここはひとつ、静かにいきましょうよ、萌さん。それでは僕はビジネスマンらしく、ビジネス書でも読ませていただきます。おほん」

「なんなのよ、そのユニークな先入観は。もう勝手にしなさい」

萌さんはノートパソコンを取り出すとヘッドホンをつけて、僕との接触を断ったのだった。

この辺で自己紹介なんてものをしておくと、僕の名前は柿本一麻《かきもとかずま》、通称カッキー。別に小さい頃からこう呼ばれているわけではなく、ある日突然萌さんが「カッキー」と呼びはじめ、それが事務所内で定着してしまったのである。中肉中背、顔はイケメンではないけれど、キモイと言われるほどではない……と思っている。会計士になって三年目、この業界ではそろそろ主力であるが、萌さんから見ると、いつまで経っても頼りないらしい。

萌さん——藤原萌実《ふじわらもえみ》さん——は、実は現役の女子大生。史上最年少で会計士試験に合格し、現在は会計士と女子大生の二足のわらじを履きながら、監査の現場では主査（責任者）まで務めているという、冗談みたいなお人である。

顔はかわいい。とってもかわいい。このかわいい顔でニッコリ笑ってくれたら僕も幸せなのだが、現実は厳しく、目を吊《つ》り上げて怒られたり、白い目でケーベツされたりすることのほうが多い。

年下の女性にアゴで使われるのを情けないと見る向きもあるかもしれないが、長い浪人生活の果てに会計士試験に合格した僕には、同期にも先輩にも年下がいるので、あまり気にならない。この業界では試験に受かったときがスタートで、年齢はあんまり関係ないのだ。同じ有資格者なので、男女ももちろん対等だ。

会計士業界というと、ふるーくて、かたーくて、くらーいイメージがあるかもしれないが、年齢や性別にこだわらないという意味では、進歩的であるとも言える。

そんな僕らの仕事は、主に上場企業の会計処理が正しいかどうかをチェックすること。うっかりミスを指摘するだけなら簡単なのだが、世の中には会計をごまかそうとする人たちもいる。それを見逃さないために、怪しい点、怪しい人には徹底的な調査を施し、推察とか推理をするのだが、まあ、そんなことは滅多《めった》にない。

今回の大阪出張も平和裡《り》に終わり、僕はこうやって心おきなく木曜日午後のすいているグリーン車を満喫しているのである。

「さて……と、なにを読もうかな」

三冊ほど持ってきていたビジネス書のどれを読もうか少し迷って、僕は『売り上げウハウハ倍増ノウハウ』という本に手を伸ばした。あまり売れてはいないが、イラストの解説がわかりやすくて、大好きな本である。大好きなのに売れていないのはやっぱり悲しいので、こうして電車の中などでカバーをかけずに読んで、微力ながら宣伝活動に奉仕している。……余計なお世話かもしれないけれど。

あれ？

僕はふと、斜め前の席に座る、高級そうなスーツに身を包んだ壮年の男性が手に持つ本に目を留めた。

あの見覚えのあるイラストは……『売り上げウハウハ倍増ノウハウ』じゃないだろうか⁉

うわ、間違いない。

「あのー、この本、面白いですよね」

僕は身を乗り出すと、ちょっと興奮しながらその男性に声をかけた。

振り返った男性はとても驚いていた。まあ当然である。

「す、すみません。突然話しかけてしまって。実は、僕もいまからその本を読もうと思っていたところで……」

僕は手に持っていた『売り上げウハウハ倍増ノウハウ』を彼に見せた。

「ほら同じ本でしょう？」

怪しいものじゃありませんよという主張をこめて、僕はニッコリ笑ってみせた。

ところが、男性は更に目を見開いた。

「――これは驚きだ。私が書いた本を読んでいる人を生まれて初めて見たよ」

「え？」

「その本を書いたのは私なんだ」

「あー、なるほど。だから、とても驚かれていたのですね……って、えーっ⁉」

僕はあわてて本の表紙をもう一度見て、著者名を確かめた。『公認会計士　山本幹輔《やまもとかんすけ》』。

「あなたが著者の山本先生ですか？　本当に⁉」

「ああ。拙著を読んでくれてありがとう」

山本先生は老眼鏡とおぼしきオシャレな眼鏡をとると、破顔した。

「い、いや、そんな。うわー、感動です！　あのー、この本、とっても面白かったです。いや、勉強になりました。売上の伸ばし方に感動しました。まさか、あんなにノウハウがあるなんて」

「それほど難しいことは書いていないよ。要は、売れ筋を絞って、在庫を減らすというだけだから」

「いや、いや。書いてある内容がシンプルだからこそ奥深いというか、感動するというか。ほら、会計の常識を覆している部分もあるじゃないですか、やっぱり斬新《ざんしん》ですよね。本当

ろうか？

僕は憧《あこが》れの著者を目の前にして、アガッてしまっていた。ちゃんと、伝えられているだろうか？

「あー、もう、うるさいわねぇ。全然勉強に集中できないじゃない、カッキー。なんなのよ、さっきから」

萌さんが乱暴にヘッドホンを取りながら、僕をキッと睨《にら》んだ。

「あー、萌さん、萌さん。それどころじゃないですよ。本を書いている人がいるんですよ」

「そりゃ、本が存在する以上、本を書いている人もいるでしょうよ」

「そうじゃなくって、ここにいらっしゃるんですよ。この本の著者が」

僕は山本先生のほうに目配せしながら、『売り上げウハウハ倍増ノウハウ』を、水戸黄門の印籠《いんろう》のごとく萌さんに振りかざした。

「ふーん」

「萌さん、感動が薄いですねぇ……」

「えー、だって、私その本を知らないし。すごさもなにもわからないし」

「萌さん、この本はとーっても面白いんですよっ」

僕が萌さんに本の面白さを力説しようとした時、山本先生が足元のカバンからもう一冊『売り上げウハウハ倍増ノウハウ』を取り出した。

「お嬢さん、よかったらどうぞ」

「あー、悪いわねぇ。へえ、売上アップの本なのね。そうだ、せっかくだからサインでも頂戴よ。えーっとねぇ、『美しい藤原萌実さんへ』って書いて」

「萌さん！　読んでもいないのにサインなんて、図々しいにも程がありますよ」

「まあまあ、いいですよ。お安い御用だよ」

山本先生はサラサラと本にサインして、萌さんに手渡した。

「あはっ、ありがとー。私、サイン本なんて生まれて初めてもらったわ。そうそう、写メも撮っていい？　いいわよね？」

萌さんは勝手に決めつけて席を立つと、山本先生が通路に置いていた大きなスーツケースに腰かけ、「はいチーズ」とかなんとか言いながら、カメラ付き携帯電話をかざして自分でツーショットを撮った。山本先生は苦笑しているように見えた。

萌さんはそのままそこでパラパラと本をめくると、声をあげた。

「あらっ、『公認会計士　山本幹輔』って、あなた会計士の先輩だったのね」

「ああ、まあ。いまは会計士らしい仕事はしていないがね。先輩ということは、きみたちも？」

「そうよ。バリバリに監査法人でコキ使われてるわよ」

萌さんがそう言うと、山本先生は萌さんの席のパソコンに目を留めた。

「本当だ。大変そうだね」

「ああ、あれは違うわよ。仕事っていうか、CPEなの。そうだ、私はそのCPEの勉強に戻らなくっちゃ。せっかくカッキーが、行きのグリーン車を犠牲にしてまで取りに戻った講義CDだし」

「えーっ!! 僕が事務所まで取りに戻った忘れ物って、CPEのCDだったんですか!? てっきり今回の監査に必要な資料だとばっかり……」

「そんなこと、ひとことも言ってないじゃない」

「言ってくれたら戻りませんでした! 大事なものだって言うから……」

「だって、新幹線の中って暇じゃない。せっかくだから、CPEの勉強をしようと思ったのよ。うふっ、ありがと、カッキー。おかげさまで、時間を有効に使えるわ。じゃあ、私は勉強に戻るから」

萌さんは自分の席に戻ると、ノートパソコンで講義の続きを見はじめた。

「萌さんの時間の有効利用のために、僕の時間を無駄にしてもいいんですか!」

2

それから一カ月くらいのち。萌さんが事務所のデスクで、ボールペンをくるくる回しながらぼやいていた。

「あー、憂鬱《ゆううつ》だ、憂鬱だ」

「萌さん、なにがそんなに憂鬱なんですか？」

「また一社、主査の会社を増やされたのよ。それも来週からって、急によ。普段からあれだけ忙しいアピールをしているのに〜」

「萌さんの忙しいアピールって、『忙しい、忙しい』って言いながらファッション雑誌を読むことですか？　そんなことだから仕事を増やされるんですよ」

「言ったわね。まあ、いいわ。常時スタッフにはアンタを指名しておいたから」

「げっ、じゃあ、僕の仕事も増えるんじゃないですか」

「そういうこと」

萌さんはニコニコ顔だ。

……仕事が増えるのは嫌だけれど、そんなに嬉《うれ》しそうに、「アンタを指名した」などと言われると、ついつい、期待をしてしまうのは僕だけだろうか。

「……あの～、ちなみに、僕を指名した理由なんてものをお聞きしてもいいでしょうか」

僕がモジモジしながらそう言うと、萌さんは一瞬不思議そうな顔をして、小さく「あ
あ」と言い、ペン回しをピタッと止めた。それからフッと視線をやわらかくして僕を見る。

「カッキー……。ばかね、理由なんて、ひとつに決まってるじゃないの」

僕の心臓がひとつ、はねあがる。

「ひとつ、というと……」

「――アンタが一番、コキ使いやすいからよっ」

そうですよね。

そう思ってましたよ。

「……で、どこの会社に行くんですか？」

「これから上場準備に入る会社よ。とりあえず予備調査《パイロットテスト》を行うの。パソコン関連を扱って
いる小売業で、店は一店舗」

「いわゆるPCショップと呼ばれるお店ですね。一カ所なら監査も楽じゃないですか。支
店往査も工場往査もないんですよね」

「そう思って私も安易に引き受けたんだけど、その場所がねぇ……あーっ、憂鬱だわ」

「どこなんですか?」

「秋葉原《あきはばら》よ、秋葉原。オタクの巣窟《そうくつ》、ダメファッションの聖地、キモイ奴らの人権が唯一合法的に守られる街、アキハバラ」

「……ものすごい言いようですね」

萌さんはオタク系なことがとっても嫌いだ(と言いつつ、ゲームにはまった時期もあったので、要は一種の食わず嫌いなのだ)。

「でも、萌さん。いまの日本文化の発信地はその秋葉原なんですよ。年々、街が新しくなっていますしね。僕みたいに昔からアキバに通っている人間にとっては、行くたびに街が変わっていく様が嬉しくもあり、寂しくもあり……」

しみじみ言う僕を、萌さんは冷めた目で見ている。しかし、僕にとって秋葉原はとても居心地のいい、大好きな街である。

今度の監査は、楽しくなりそうだ。


翌週月曜日、萌さんは渋々、僕は喜び勇んで、PCショップ「カイタケーダー」のある秋葉原に向かった。

駅のホームに降り立つと、もうそこにはいわゆるAボーイたちがひしめいていて、僕の前に改札を抜けていった二人組は「いやあ、結局のところ大河原さんのメカデザインがさ」などということを神妙な顔つきで話しており、僕は仲間にまじりたくってうずうずしてしまった。ああ、言いたい。僕はそうは思わないなっ、と持論を展開してみたい。

「いやー、アキバはいいですねえ。なんだか、呼吸が楽にできるような気がしますよ！」

僕が大きく深呼吸をしながら萌さんを振り返ると、なんと萌さんは鼻をつまんでいた。

「……菌が感染《うつ》る」

「感染りませんっ！」

オタク菌を嫌がる萌さんを引きずるようにして、駅から五分ほどの「カイタケーダー」に向かう。雑居ビルの二階にあり、入り口を入ったらすぐにパーツを売るカウンターがあって、カウンターの後ろは全部倉庫というパーツだらけの会社である。

「な、なんなのよ、この店は⁉　まともに商品が選べないじゃないの」

「こういう路地裏のパーツ屋に来る人は、みんな目的買い——つまり、どこそこのメーカーのどの型をくれっていう人ばかりですから、いちいち陳列にこだわったりする必要はないんですよ」

僕は萌さんに説明した。

そのとき、作業服を着た男性がカウンター越しに、「あのー」と声をかけてきた。逆三角形の細長い顔に、いまどき珍しい形の眼鏡をかけていて、しかもその眼鏡に前髪がボサボサと乱れかかっていた。

「すみません。監査法人の方ですよね？」

「ええ。そうだけど、あなたは？」

萌さんはオタクっぽい人に声をかけられて、明らかに嫌そうだった。

「申し遅れてすみませんでした。私はこの『カイタケーダー』の社長をしております、春《はる》野《の》部《ぶ》と申します」

春野部社長は丁寧に名乗って、深々とお辞儀をした。すると萌さんがコッソリ僕に耳打ちする。

「ふーん、秋葉原の住民だからといって礼儀を知らないわけでもないのね。挨拶《あいさつ》は『萌《も》え～、萌え～』だと思っていたわ」

「どんな偏見なんですか！」

萌さんは春野部社長のほうを向いた。

「こちらこそ、申し遅れて失礼したわね。私は会計士の藤原。そして、その他一名よ」

「よろしくお願いいたします。それでは、名刺交換はまたあとにするとしまして、とりあえずは奥へどうぞ」

僕らは春野部社長に先導されて、店の奥へと入っていった。

奥の事務室は広いけれども、商品やら書類やらが山のように積みあがっていて圧迫感があった。

その一角にある応接スペースに通された僕らは、春野部社長と香坂《こうさか》総務部長から「カイタケーダー」の詳細について話を聞いた。

「それにしてもこの一店舗で売上が二〇〇億円って、いったいどういうわけ？　たしかに秋葉原ならパソコンオタクがたくさん来るかもしれないけど、年商二〇〇億ということは、一日五〇〇〇万以上稼いでいる計算でしょう」

萌さんがうさんくさそうな顔つきで言う。どうやら、「そんなことがあるわけがない」と思っているようだ。

「藤原先生、たしかに店舗はここだけしかありませんが、お客様はここに来る人だけではないんですよ」

春野部社長は萌さんの失礼な態度に気を悪くする様子もなく、穏やかな口調でそう答えた。

「『ここに来る人だけじゃない』……あはーん、そういうことね」

「どういうことですか、萌さん？」

「お店は開いているけれど、キャッシュポイントは別にある、というケースよ。出前や外商で稼いでいるとか、官公庁などの大口顧客がいるとか。そして最近多いのは、ネットね。そうでしょう、社長？」

「ご推察のとおりです。うちの収益の大半はインターネット通販なんです。その世界ではけっこう有名なんですよ」

「あっ、よく考えたら僕、『カイタケーダー』って知っていますよ。価格比較サイトで、検索するとよく一位に登場するお店ですよね？」

　価格比較サイトでは、商品ごとに値の安い順で掲載されるので、最も安値のお店が第一位としてランキングされる。

「ええ、まあ」

　春野部社長は控えめな笑顔で肯定した。

「やっぱり！　萌さん、萌さん、このお店って、とっても有名なPCショップですよ。パソコン関係で価格検索したら、必ず『カイタケーダー』って目にするんです。自作パソコンをするマニアからちょっとしたパーツを買う人まで、おそらくみーんなが知っていますよ！」

その筋ではカリスマ的な存在の会社だったので、僕はとても嬉《うれ》しくなった。

「ネットのおかげで有名になりまして、売上も大きくなったので、このたび上場も視野に入れることになったのです。……と言っても、私はもともとパソコンマニアで、経営のほうには疎かったので、ここまで大きくなったのはCFO（最高財務責任者）の助言があったればこそなのですが」

「CFO？　そういや、この場にはいないわねー」

「ええ、うちのCFOは常駐というわけではないのです。いろいろな会社の経営コンサルタントをしているので、うちには火・金の週二日来てもらっています」

「まあ、上場直前期じゃないからまだ常駐してなくてもいいけど、できれば頻繁に来てほしいわね」

「あの、でも……」

香坂総務部長が口を開いた。総務部長と言ってもまだ若い女性で、せいぜい僕と同じくらいに見えた。春野部社長と同じ作業着を着ていて、首をすくめて上目遣いに話すのが癖のようだった。

「なあに、香坂さん」

「でも、人気のコンサルタントなので、常時抱えるだけの報酬をうちは支払えないんです

「……」

「へえ、報酬、高いんだあ。いいなー」

萌さんが適当な返事をすると、春野部社長が説明を追加した。

「実は、うちはかなり安くしてもらっているんですよ。にもかかわらず、ものすごく熱心に仕事をしてくださるんです。本当に立派な方です。価格比較サイトで常に一位を取る『価格至上主義戦略』を編み出したのも、CFOなんですよ」

社長が熱心に言うと、香坂部長もうなずいて、口を開いた。

「あの……これまでの税理士の方とか……会計に詳しい方ですと、利幅をちゃんと取れってうるさかったんです。でも……CFOは逆でした。『利幅はどうでもいいから、とりあえず価格比較サイトで一番をとることが先決だ』って断言してくださって……」

「まあ、会計の常識だと、利幅を取らない商売は結局損失を出して長続きしないから、普通はそんなアドバイスはしないわね」

萌さんが腕を組みながら言う。

「でも、それは旧来の考え方で、いまの時代は利幅以上に大事なこともあるんですよね」

僕にみんなの視線が集まった。

「それは、CFOの言うとおり、価格比較サイトで一番をとって有名になること。有名になると利幅以上の広告効果がある。つまり、広告代だと思えば、安いものです。『情報化が進んだネット時代では有名になることこそが売上アップの王道』なんですよね」

「へえ、カッキーにしてはまともな分析をするわね」

萌さんが軽く目を見開いた。

「はっはっは、それほどでも。ちなみに、広告効果を得るだけではないんですよ。価格比較サイトで一番安いということは、一番よく売れるということで、つまり在庫が溜《た》まることもないんです。在庫がほとんど存在しないから、他の会社では悩みの種の、在庫コストがかからない」

「あ……CFOも言っていました……『在庫は悪だ』って……」

香坂部長が言った。僕はうなずく。

「そうです、在庫は悪です。在庫があると、それをしまっておく在庫スペースが必要になるし、残ったものを処分品として売り払ったりしなければいけない。だから、たとえ利幅が薄くても、売れる時期に素早く売って、在庫をなくしたほうが最終的には利益が確保できるのです」

「すっごーい、カッキー。まるで、プロみたーい」

萌さんがパチパチと手を叩《たた》いた。

「いや、一応プロですって。でも、これってある本の受け売りなんです。ほら、萌さんもこの前もらった、『売り上げウハウハ倍増ノウハウ』にこのことが書かれていますよ」

「『売り上げウハウハ倍増ノウハウ』？　変な名前の本ねえ」

「覚えていないんですか⁉　新幹線で著者にお会いしたじゃないですか！」

「えー？　そうだっけー？」

僕らのやり取りに春野部社長と香坂部長は顔を見合わせていた。

「お二人は、うちの山本ＣＦＯに会われたのですか。それは奇遇ですね」

春野部社長が言った。

「えっ、ここのＣＦＯって山本幹輔先生だったんですか⁉」

「そうですよ、柿本先生」

「うおーっ。すごいです。感激です。仕事先で山本幹輔先生に関わることができるなんて。僕、これまでこの仕事をやってきて本当によかったです！」

萌さんは「おおげさねぇ」という表情で僕を見ていた。

「それはよかったです。明日は山本ＣＦＯが来ますから、好きなだけお話しなさってください、柿本先生」

「ありがとうございます。僕、本当に嬉しいです！」

僕は涙を流さんばかりに感激していた。

3

そういうわけで、僕は感動しながら監査を開始した。山本幹輔先生が実際にどういう経営をしているのか興味津々だったのだ。

「うーん、これはどうなのかしらねぇ?」

しかし、萌さんは監査を進めるうちに、「カイタケーダー」のいろいろな点に疑問を述べはじめた。

「商品の粗利益《あらりえき》が五%ぐらいしかないのよねぇ。大手家電量販店でも一五%は取っているのにさー」

「いや、粗利益が五%なのに、立派に売上を出している点がすばらしいんじゃないですか!」

萌さんは総勘定元帳《そうかんじょうもとちょう》から目を離さずに答えた。

「うーん、でもねぇ。売上高の中に発送手数料も含まれているのよ」

「それは、販管費《はんかんひ》の発送費と相殺すればいいじゃないですか」

普通、お客さんからもらった発送手数料は、売上高には含めない。なにせ、発送費として使ってしまうからだ。しかし、「カイタケーダー」はいったん売上高に計上してしまっている。ただ、費用として計上されている、実際にかかった発送費と相殺すれば、プラスマイナスゼロになって、商品の分だけが売上高に残るはずだ。

「それが、そうできない事情があるのよねぇ」

「どういうことですか？」

「発送費と相殺したら、発送費がマイナス残になるの。それも多額の」

「え？」

「つまり、実際にかかった発送費が月一億円なのに対して、お客さんからもらった発送手数料が二億円もあるの。相殺したら、発送費は差し引きマイナス一億円。そんな不自然な数字を決算書に載せるわけにはいかないでしょう」

「えええええーっ！」

萌さんは眉《まゆ》をひそめて、総勘定元帳をバサッと机の上に置いた。

「この数字をパッと見誤魔化すために、発送費を販管費に入れる一方、お客さんから徴収した発送手数料を売上高の中に含めたのね。いうなれば、四〇〇円で配送できる商品に対して、お客さんからは倍の八〇〇円を徴収している計算よ」

「たしかに、『カイタケーダー』の送料は全国一律八〇〇円です」

「でしょ？　ここは配送会社と大口契約しているんだから、発送費なんて一件四〇〇円もしないはずよ。配送会社への支払い以外にピッキング[1]費とか梱包《こんぽう》費もかかるでしょうけど、何百円もかかるはずないし、たとえかかるとしても商品価格のほうに反映させるべきだわ」

「そういうものでしょうか？」

「そうよ。だいたい代引き手数料も一律六〇〇円も取っているけれど、実際は二〇〇円そこそこでしょう。クレジット手数料も七％徴収しているけれど、この会社が実際にクレジット会社に払っているのは三・五％よ。商品はとことん安くする代わりに、手数料で利益を稼ぐ。いろんな手間がかかっているにしても、これだけの利幅を手数料で取るのはセコイんじゃないの？」

「――いや、萌さん。僕は感動しました！」

「はあ？」

「そういう見えないところで、利益を取っているなんて、すごいですね。山本先生の経営の真髄を見た気がします。素晴らしいですね！」

「ふーん――ちなみに、お客さんからのクレームで、注文した商品がなかなか届かないというのが多いんだけど、これについてはどう思う？」

萌さんは、クレーム台帳をトントンとボールペンで叩いた。僕がそれを手にとってパラパラめくってみると、確かに「まだ届かない、どうなってるんだ！」という感じのクレームが多かった。

「こんなの、ネットでパパッと注文できるから荷物もすぐに届くだろうと勘違いしている消費者が多いからじゃないですか？　店頭販売であろうとネット通販であろうと配達に時間がかかるのは当たり前なのに」

最近は、すぐにクレームをつけたがる人が多くて困る。

「あっそ。そういう認識なのね」

萌さんはそれだけ言うと、淡々と仕事を再開した。

4

翌日、監査二日目。

いよいよ山本先生が「カイタケーダー」に出社してきた。山本先生は僕らとの再会にとても驚いていた。

「いや……まさか、こんなところでまた会おうとは」

あまりに驚いて、言葉もないといった様子である。しかし、それは僕のほうだ。

「そうなんです。偶然というか、もう、これは運命なんじゃないでしょうか。こうして山本先生のお仕事を拝見できて、大変光栄です。とても勉強になります」

「はは……それはよかった」

萌さんは僕の横でウゲッという仕草をしていた。

山本先生を紹介してくれた春野部社長が部屋を出て行こうとすると、山本先生が引き止めた。

「社長、監査法人が入るのは、来月になってからの予定ではなかったのかね？」

「はい。本格的には来月からなのですが、ロケットなんとかが必要とのことで……」

「ロケット？」

山本先生が不審そうな顔をした。

「パイロットです、社長。パイロットテスト」

僕が訂正すると、春野部社長は「すみません」と頭をかいた。

「ああ……パイロットね。しかし、私にもスケジュールがあるのだが……」

山本先生が苦々しい顔で言うのを見て、僕はあわてた。

「あの、とりあえず現状を把握させていただくのが目的ですので、山本先生のお手はそれほどわずらわせません」

「……そうかね。それならよかった。いや、もちろんできる限りの協力はさせてもらうが」

「はい、よろしくお願いします！」

僕が山本先生とガッチリ握手している横で、萌さんはパソコンを開いて仕事をはじめていた。

春野部社長が退室したあと、僕は仕事のことはさておき、山本先生ご自身の活動について根掘り葉掘り聞いてしまった。

「山本先生は、普段、どういう会社を回っていらっしゃるんですか？」

「そうだね……ここのほかには大阪にクライアントがあるよ。だからこのあいだ、きみたちと新幹線の中で会ったわけだがね」

「すごいですね。全国をまたにかけてのご活躍なんて」

萌さんは小声で「全国といっても東京と大阪だけじゃない」とブツブツ言った。

「大阪ではどういう会社を見ていらっしゃるんですか？」

「そうだね。船場《せんば》にある繊維会社のコンサルタントをしているよ」

「繊維ですか！　いやー、本当に幅広くてすごいですねっ！　船場と言えば、『細雪《ささめゆき》』の舞台にもなった古くからつづく繊維の街。関西系商社の出発点でもありますよね。いやー、伝統ある街でのお仕事、すばらしいです」

萌さんは、「PCショップと繊維って……全然バラバラじゃない」とまた文句を言った。うるさいなあ、と思って横を見ると、なんとまたもやCPEの講義CDを見ている。

「ちょっと、萌さん！　てっきり真面目に仕事をしているのかと思えば、なにを見ているんですか！」

「うるさいわね、仕事そっちのけのアンタに言われたくないわよ」

「とにかく駄目です！」

僕にCDを没収された萌さんは、「アンタは会計士補だから関係なくていいわよね」とブウブウ文句を言った。

「あーあ、もう三月かー。まいっちゃうなー」

萌さんは頭の後ろで腕を組むと、山本先生に尋ねた。

「山本さんは、あと何単位あるの？」

「え？」

「私はちょっと厳しいのよー。今年は研修とかになかなか出られなかったから、まだ二六単位も残っているの」

「……ああそう。若い人は大変だね。頑張ってください」

萌さんはそう言われて、ちょっと変な顔をした。

山本先生は年だから……というか、やっぱり独立した人だから、時間のやりくりが僕たちよりできるんだろうな。

しばらくすると、山本先生は「お二人の邪魔をしては悪いから」と言って、部屋を出て行った。


「ふーん」

萌さんは山本先生が去ったほうをじっと見ていた。

「どうしました、萌さん？」

「ううん、なんでもないわよ。じゃあ、次はお店の在庫を見に行きましょうか」

萌さんと僕は、お店からちょっと歩いたところにある倉庫へと向かった。

倉庫の中はスペースに余裕があり、商品もわずかしか残っていなかった。

「いやー、本当に在庫が少ないですねぇ。僕、こんな倉庫はじめて見ましたよ。きっともすごく回転が速いんでしょうね」

僕はまたもや感動していた。

それに対して、萌さんはなんだか難しい顔をしていた。

「萌さん、どうかしましたか？」

「回転が速いのはいいんだけど、こんなに良すぎるのもどうなのかしらね」

「え？」

「なんだか商品が少な過ぎのような気もするのよね」

萌さんはそう言うと、持ってきていたノートパソコンを開いた。

「うーん。ホームページを見ると、たくさんの種類の商品を売っているんだけど、本当にその商品って店頭在庫かこの倉庫にあるのかしらね？」

「どういうことですか？」

「ちょっと、今すぐ店に戻って、ホームページで販売している商品と在庫リストとをすべて突合《とつごう》してくれない？」

「は、はい」

僕らは倉庫のチェックもそこそこに、応接スペースへと戻った。

僕は嫌な予感がした。

こういうときの萌さんのカンは、すごくよく当たるからだ。

事務所きっての優秀な会計士が働かせるカンと言えばもちろん、不正に関するものに対してだ。

不正……誰が——？

一時間後。

「カッキー、具合はどうだった？」

「萌さんが睨《にら》んだとおり、ホームページ上の商品のほうが明らかに多いですね。在庫が足りません」

僕は青くなって答えた。

これは、実際には仕入れていない商品も、ネット上で販売していることを意味していた。

「在庫を確保していない商品に注文が入ったら、あわててどこからか仕入れて、それから配送を行う。つまり、〝カラ販売〟をしていたってことね。お客さんへのお届けが遅延している要因は、これね」

萌さんは厳しい顔をしていた。

「これは会計的に問題なんですか？」

「会計的にというよりも、商売人として問題だと思うわ。なんてったって、ホームページ上には『在庫あり』ってなっているもの。普通は、『取り寄せ』って書くわよ、こういう場合」

「在庫負担をなくすため、ですか——」

「それもあるけれど、資金繰りをよくする目的もあるでしょうね。ここの店は、入金確認後の配送だから」

「あっ、そうか。普通は、仕入先への支払いにまずお金がかかって、売上金の回収には時間がかかるけど、この店の場合、売上金の入金が先だから貸し倒れは基本的に発生しない」

「そういうこと。お金をもらってから仕入先に払うんだから、資金繰りもうまくいく——銀行からの借入金も少なくて済むわ。そうすれば、利子負担も少ない」

「……うまい経営手法だと言えますね」

「そうよ。お客さんを騙《だま》しているんでなければね」

僕は、昨日見たクレームの文面を思い出していた。怒りのにじんだ内容を。

萌さんは、僕に売上高の精査を命じた。

「売上高二〇〇億円の内訳もよく見直して。とんでもないことが隠されているかもしれないわ——」

5

監査三日目。

萌さんは昨日にも増して厳しい表情をしていた。

「売上高の詳細はどう？」

「『カイタケーダー』独自の長期修理保証の金額が、売上高に計上されていました」

長期修理保証とは購入時に販売価格の五％を支払うことによって、五年間の無償修理を約束する保証である。

「その長期修理保証の引当金《ひきあてきん》は？」

「ほとんど立てられていません」

引当金とは、将来かかる費用を見越した積立金みたいなものである。本来ならば、この長期修理保証を実施するためには、将来発生するであろう修理費用を積み立てておく必要がある。

「――そう。ということは、単純計算だけど、売上が二〇〇億円なら引当金積立額は五％だから、一〇億円。この一〇億円がすっぽり抜けているということね。最終利益二億円のこの会社で一〇億円の費用が発生したら即赤字よ」

「そ、それじゃあ……」

「税務的には引当金を積まなくてもいいけれど、会計的にはアウトよ。赤字どころか債務超過になるんじゃないかしら」

税務的には、会計的には、というのは、税務署に申告するための会計と、会社の決算をまとめるための会計とでは基準が違う、ということである。これが会計のややこしいところなのだが、数字をまとめる目的が違えば、基準も違うのである。

「じゃあ、上場は?」

「もちろん、無理よ。カッキー、社長と総務部長を急いで呼んできて!」


僕が探しに行くと、春野部社長と香坂総務部長はすぐに見つかった。

応接スペースにお連れして、萌さんがことの次第を説明する。

「そうですか……上場は無理ですか……」

「ええ、残念だけど。社内体制の問題ならいまから頑張ればなんとかなるけど、損益の問題はちょっとね。いまは赤字会社には厳しいから、まずはちゃんと黒字を出すことが続かないと、門前払いなの」

「仕方ないですね。いま思うと、上場について山本ＣＦＯが猛反対していたのは、こういう理由があったからなんですね」

「山本ＣＦＯが猛反対って？」

「実は、上場は私の夢というか目標だったので、売上が二〇〇億円を突破したのを機に、私が言い出したのです。しかし、山本ＣＦＯは『上場はこの会社にはまだ早い』と言ってずっと反対していました。理由はいろいろと言っていたのですが、難しい話だったので私にはちょっと理解が……」

春野部社長は気まずそうに言った。

「萌さん。山本先生はなぜこんな処理をしていたんでしょう。経営者が自社の損失を隠すために粉飾をするとか、実際よりも売上を多く見せるために粉飾をするとかいうのはよくありますが、社長を差し置いて雇われＣＦＯが粉飾をして、いったいなんの得があるのか……」

「そうね……まずは、売上を伸ばして自分が優秀なコンサルタントであることを示し、それなりのコンサル料をもらうってことよね。そして、優秀であることを証明し続けるために、どんどん無理な会計操作をするようになる——なんだか、無理矢理上場した会社の末路に似ているわね」

「でも、それだけで？」

「もちろん、ここまでするからには他にもなにかあるはずだわ。山本CFOはこの会社の業績が好調じゃなければ困った……」

「しかし、僕たちが来た――監査法人が入ったからには、このカラクリがいずれバレることは、わかっていたはずですよね」

「そうね。だからアイツ、『監査法人が来るのは来月からではなかったのかね』とか言ってあせっていたのね」

たしかに、昨日そんなことを言っていた。

「――カッキー、これはまずいわね。下手したら今頃トンズラの用意をしているかもしれないわよ」

「あのう……」

それまで黙っていた香坂部長が、おそるおそるといった感じで声をあげた。

「山本CFOなら、今朝、見かけました……トンズラってことは、ないのではないでしょうか……」

「え？　だって、アイツが来るのは火・金でしょ？　今日は水曜日じゃないの」

「はい……でも水曜日には、在庫確認のために午前中だけ来られることも多いんです」

「在庫確認!?　ちょっと香坂部長、まさか倉庫の棚卸《たなおろし》の責任者って、山本さん!?」

萌さんがすごい剣幕で言うと、香坂部長は気おされたようにうなずいた。

「あの……在庫管理はプロがやったほうがいい、店員だと誤魔化すこともあるから、ということで、山本CFOがみずから行っていました」

「倉庫に常駐する店員っているの?」

「ピッキングや梱包《こんぽう》作業の人員はいますが、いつもいるわけではありません。あの……それがなにか?」

「……ヤバイわね。カッキー、急いで倉庫に行くわよ!」

6

春野部社長と香坂部長、そして萌さんと僕は大急ぎで倉庫に向かった。そこで、その場にいた店員に山本先生の様子を尋ねた。

「はい、山本CFOなら、あの辺の商品をたくさん持って行きましたよ。つい一時間くらい前かな」

店員が倉庫の一角を示す。そこは小さい箱が積まれているエリアだった。

「そういうことってよくあるの⁉」

萌さんがあせった様子で聞く。

「ええ。もっといい商品と取り替えるとかで、よくあります」

「あの辺の商品って、どれくらいの値段？」

「そうですねぇ。最高位のＣＰＵですから、一個あたり五～一〇万円ぐらいでしょうか」

「えっ、そんなに高いの⁉　――これは間違いないわ」

萌さんは苦虫を噛《か》み潰《つぶ》したような顔をした。

「昨日在庫が少ないとわかった時点で、ちゃんと棚卸までして確認すればよかった」

「どういうことですか、萌さん？」

「在庫が少ない――このことを、昨日は単に〝カラ販売〟をやっているせいだとしか考えなかった。あのクレームの多さからいって、〝カラ販売〟もやっていたんでしょうけど、でも、それだけじゃなかったのよ。販売商品と在庫リストとの突合だけじゃなくって、在庫リストと実際のモノの突合もしてみれば、すぐに高価格商品がないことに気がついたのに……！」

「それは、まさか、もしかして、山本先生が……」

「そうよ。アイツが商品を持ち出しているってことよ。つまり、〝横流し〟」

萌さんの言葉に、春野部社長が声を荒らげた。

「そんなっ！　山本CFOは立派な先生ですよ。ここまで我が社が大きくなったのは、なんと言っても価格比較サイトでの戦略などがあったからです」

春野部社長の顔には、山本先生を信じたい、という気持ちが表れていた。

僕だって信じたい。信じたかった。でも……。

「どこが立派な先生よ。たしかに利益を捻出《ねんしゅつ》するのは上手かもしれない。でも、立派な先生がそもそも会計士を詐称するかしら？」

「詐称⁉」

僕は驚いた。

「どの世界にCPEを知らない会計士がいるのよ」

CPEとは、萌さんが隙を見つけては勉強していた、継続的専門研修制度である。現在、会計士は全員CPEを毎年四〇単位取らなければいけない。つまり、会計士なら、知らないはずはないのだ。しかし、CPEについて萌さんが尋ねた時、山本先生の返答は、たしかにどこかおかしかった。

「そういえば……パイロットテストの話をしていたときも、なんだかよくわかっていなかったみたいですね」

僕が言うと、萌さんがうなずいた。

「普段は〝会計士の証拠〟というのは要求されないから、名刺のひとつも作ってしまえば、ほとんどバレないわ。会計士の場合、弁護士のようにバッジをつけているわけじゃないしね」

萌さんは春野部社長のほうを向いた。

「社長、山本に来てもらう際に身元調査はしたの？」

うわー、呼び捨てになった。

「いえ、一応履歴書をもらったぐらいですが」

「お金を預かる人を雇うんだから、調査会社に頼んで身元調査ぐらいはしておきなさいよ」

「でも、本も出版されている方ですし、すっかり信用してしまって……」

春野部社長は叱られた子供みたいにシュンとした。

「本なんて自費出版なら誰でも出せるでしょ！　プロフィール欄で会計士を名乗っていたとしても、別に会計士協会がいちいちチェックを入れるわけじゃないし」

「そうですね。ペンネームで本を出す人もいるわけですから、目を光らせても意味がないですもんね」

「そうよ、カッキー。昨日『公認会計士名簿』で確認してみたけれど、山本幹輔なんて人はいなかったわ――もちろん〝山本幹輔〟っていうのも偽名の可能性が高いけど、少なくともアイツが会計士でないことだけは、たしかね」

「もしかして、萌さんは最初から山本先生を疑っていたんですか？」

「そうよ。新幹線で会った時からね」

「どうしてわかったんですか？」

「直感で思ったのよねー。会計士にしては服装がアカ抜けし過ぎているってね。会計士ならもっとダサいはずよ」

「なんですか、その偏見は！」

7

「――で、どうしてまた僕らは新幹線に乗っているのでしょうか？」

「それは、手っ取り早く大阪に行くには飛行機よりも新幹線のほうが便利だからよ」

「いや、大阪へ行く手段の話じゃなくて、どうして大阪に行くのかという理由ですよ、理由」

あのあと、僕らは大急ぎで秋葉原を出発、十五分後には新大阪行きの新幹線に乗り込んでいたのである。萌さんはずっと僕の質問を無視して、「カイタケーダー」から借りた資料を見ながら、携帯電話でインターネットをして、なにか調べ物をしていた（新幹線の中ではPHSカードを使った、パソコンでのインターネット利用ができないからである）。もう新幹線は京都を越えて、まもなく新大阪に着こうとしている。

「萌さん、いい加減、教えてくださいよ」

「説明すると長くなるから面倒くさいのよねー」

「面倒でも教えてください！」

「仕方ないわねぇ。まず、今回山本が持ち出したPCパーツは、単価は高いけど軽くてちっちゃいから大量に持ち運べるでしょ。いくつかのカバンに詰め込むだけで数百万円にはなっちゃう」

「まあ、そうでしょうねえ」

「横領したあと問題となるのは、その換金手段よ。そんなのを手近なところ——オークションサイトとかで売りさばくのはたぶん無理ね」

「どうしてですか？」

「一回だけなら別に構わないでしょうけど、何回も売りさばくと目立つから足がつきやすいわ。それにオークションといえども、発送作業は面倒だからね。だから、きっと安定した売却先があるはずなの」

「安定した売却先？」

「そうよ。そこで思い出したのが、山本は大阪でも経営コンサルタントをしているという話」

「あっ、なるほど。山本先生は大阪に定期的に行っているから、大阪で売りさばいていると睨《にら》んだんですね」

「そうよ。アイツに初めて会ったときも、でかいスーツケースを持っていたじゃない。たかが大阪出張に、スーツケースは普通、必要ないわ。本当なら商品の運搬なんて、宅配便かなにかを使っちゃえばいいようなものだけど、山本の場合、用心深いのかそれとも大阪に行く用事があるからなのか、自分自身で運んでいたんでしょうね」

「なるほど……ところで萌さん。すごく根本的な疑問があるんですけど」

「なによ」

「山本先生のしていたことは、つまり、横領というか、窃盗というか、経歴詐称というか、要は詐欺ですよね」

「そうね。どうでもいいけど、カッキー、アンタもしつこく〝先生〟と呼ぶわね」

「それは、そのう……やっぱりアコガレの人だったので、急には頭を切り替えられなくて」

　僕がモジモジと言うと、萌さんはため息をついた。

「まあ、いいけど。それがアンタのいいところでもあるからね」

「えっ、いいところ……」

「それはいいから。なにか聞きたいことがあったんじゃないの？」

「あっ、そうだ、えーとなんだっけ——そうそう、つまり山本先生のしていたことは立派な犯罪で、こうして山本先生を追いかけているのは、もう会計士としての仕事の枠を超えているんじゃないでしょうか。警察にお任せしたほうが……」

「ばかね、カッキー。いま山本を捕まえなければ、アイツ、トンズラするわよ。いまはまだ油断して、大阪に売りに行っているみたいだけれど、このまま消息不明になってもおかしくないわ。つまり、これがラストチャンスになるかもしれないのよ。のんびり警察に行って、説明しているヒマがあると思うの？」

「……そういえば、そうですね」

「だいたい、この私がこんなにコケにされて、黙っていられると思う⁉」

「お、思いません」

でも、この交通費って、とりあえず僕が立て替えているんですけど、事務所にちゃんと請求できるのかなー、なんて細かいことが気になるんですが……というセリフを言うのは、やめておいた。

「あと、大阪のお店といっても無数にありますが、どうやって探すんですか？」

「そうなのよねー、あはは」

「あははって、どうするんですか！」

その時、車内に新大阪駅に到着するというアナウンスが流れた。

「じゃあ、降りたら地下鉄の駅までダッシュよ」

萌さんはそう言って、席を立った。

「じゃあって、ダッシュしてそれからどうするんですかー!!」

萌さんと僕は地下鉄御堂筋《みどうすじ》線に乗った。ぜいぜい息を切らしている僕たち（特に僕）を、周りの人は不審そうな目で見ていた。

「も……萌さん、もしかして船場に向かうんですか？」

「なんでよ」

萌さんがコートを脱いで、それでバッサバッサあおぎながら返事をする。

「山本先生は船場で繊維のコンサルタントをしているって言っていたじゃないですか」

「あー……たぶんそれはでまかせよ」

「えっ、そうだったんですか⁉」

「まあ、本当かもしれないけど、今回の商品を船場に持って行ってもしょうがないでしょうね。〝安定した売却先〟を考えると、答えはひとつよ——」

萌さんはそう言うと、なんば駅で降りた。

「萌さん、どこに行くんですか？」

「千日前《せんにちまえ》線に乗り換えて一駅、さらに堺筋《さかいすじ》線に乗り換えて恵美須町《えびすちょう》駅に行くのよ」

「そこにはなにが？」

「大阪の電気街、日本橋《にっぽんばし》よ」

「おーっ。〝東のアキバ、西のポンバシ〟じゃないですか！」

「最近は電気店の衰退が著しいらしいけど、マニア向けのPCパーツ店はそれでも多いのよ」

「つまり、日本橋のPCショップをしらみつぶしに探すんですね。僕、頑張りますよ！」

「そんな効率が悪いことをするわけないじゃない。これよ」

萌さんは携帯電話をバーンと僕に見せた。

「過去に『カイタケーダー』から持ち去られた大量のパーツと同じものが激安で売られているお店を、価格比較サイトで探したの。該当するのは五店舗よ。このどれかが、〝安定した売却先〟に違いないわ」

「新幹線でずっとそれを調べていたんですか⁉」

「そうよ。でもやっかいなのはここから先で、実はどうやって聞いて回るかが問題なの」

「というと？」

「だって、〝山本幹輔〟って名前は、そもそも偽名かもしれないわけじゃない」

「あっ！」

本当だ。だとすると、「山本幹輔さんがこの店に商品を売りに来ていませんか」と聞いて回っても無駄なんだ。

「名前以上にやっかいなのが、聞いたところで、果たしてお店側が正直に答えてくれるかどうかってこと」

「なぜですか？」

「だって、いくらなんでも、一個何万円もする商品を、スーツケースに詰めてくる個人から大量に買うのは、おかしくない？　まっとうな店だったら、そんな怪しいルートで商品を仕入れたりしないわよ」

「そうか、店側も盗品とわかってて購入しているかもしれないってことですね」

「そういうこと。だとしたら、聞いたとしてもしらばっくれるでしょうね……」

「じゃあ、どうするんですか？」

「それは、秘策があるの。さっき『カイタケーダー』の倉庫に行ったときに思いついたんだけど——」

8

十五分後。

山本先生があるお店に入ってきたところで、僕はすぐさま腕をつかんだ。

「柿本くん⁉　どうしてきみがここに……」

「ええ、まあ、いろいろとありまして」

「その様子じゃあ、すべてバレているようだな」

山本先生が隙のない目つきで辺りを見回す。店の入り口は、萌さんがふさいだところだった。

「はい、残念ながら。警察にも連絡をしていますので、それまでじっとしていてください」

「そうか……」

つかんでいる腕から、山本先生の力が抜けたのがわかった。

「山本先生。僕はあなたのことを尊敬していたのに、どうしてこんなことを……」

僕は悔しくて、泣きたくなった。僕だけじゃなく、春野部社長も香坂総務部長も、「山本CFOは立派な人です」と言っていたのに。

すると、山本先生は、これまでに見せたことのない醜悪な笑顔を僕に向けた。その目には、狡猾《こうかつ》さがにじんでいた。

「俺は儲《もう》ける仕組みを考えることが大好きなんだよ。バカどもが先生、先生と俺を祭り上げる様を見るのは、愉快だったよ。公認会計士という肩書きだけで、バカな経営者は絶大な信頼を俺によこす。本の著者というインテリ性もそうだ。それで、ちょっと売上を伸ばしてやれば、もうあとは言いなりさ。今回は、売上を出しすぎたのがアダになったな。あのバカ社長が、上場だなんだと言い出しやがって……」

山本先生は、顔つきとともに、口調までガラッと変えて苦々しそうに言った。

「監査が入ればバレるから、上場に反対したのね」

萌さんが言った。

「ああ。しかも、お前たち監査法人が予定より早く来てしまって、ギョッとしたよ。おまけに、まさかこんなに早く見破るとは……。今回までは、大丈夫だろうと思ったのに」

山本先生がギロリと萌さんを睨《にら》むと、腕組みをした萌さんは、カツッと音を立てて足を広げ、仁王立ちになるとフフンと鼻を鳴らした。

「アンタ、やっぱり馬鹿ね。この私の優秀さも見抜けないなんて」

「……」

萌さんがものすごーく高慢な態度でそう言うと、山本先生はしばらく沈黙した。それからひとつ、息をつく。

「——こんなチャラチャラした会計士がいるってだけでも驚きなのに、そいつが優秀だなんて、普通、思わん」

「なんですってー!」

「どっちにしろ、ギリギリまで儲けようと欲を出したのが敗因だな。それにしても、どうして俺がこの店に来るとわかったんだ? 俺の大阪での名前をお前たちは知っていたのか?」

「もちろん、知らなかったわよ」

萌さんは平然と答えた。

「じゃあ、なぜだ？」

「これよ、これ」

萌さんは携帯電話を取り出して、パカッと開いてみせた。

「普通はさー、詐欺師は写真に撮られちゃダメよ。『この人知りませんか？』って写真を見せて回れば、すぐに足がつくんだから」

携帯電話の画面には、新幹線の中で撮った萌さんと山本先生の写メが映っていた。

「しかもアンタ、意外と詰めが甘いのね。『カイタケーダー』でも、倉庫の人には商品を持ち出していることを知られていた。だから、多分グルであろう店長さんじゃなく、店員さんをつかまえて、『この人知らない？』ってやったの。そしたら、あっさり『いつも水曜日に来ますよ。今日はまだ見てないけど』って教えてくれたわ。悪いことするなら、下っ端の人にも警戒しておきなさいよ」

山本先生が深くため息をつく。

「……アンタにはとことん、やられたな。人は見かけによらんものだ。俺は、当然普段は写真なんて撮らせないんだ。ところが、新幹線の中でのアンタの強引なこととときたら……あれが、俺が撮られた唯一の写真だよ」

「あら、そう。じゃあ、サイン本と一緒に、大事にとっとくわ」

萌さんがニッコリ笑う。

遠くからサイレンの音が近づいてきた。山本先生が、僕と萌さんを、もう一度睨む。

「俺は、お前たちみたいに、先生先生と言われて天狗《てんぐ》になっているようなヤツらが大嫌いだ。俺みたいに無学なヤツは、こうでもしないと食っていけなかったんだ」

僕は、その言葉をとても悲しく聞いた。そして自然に言葉が口を突いて出た。

「そうでしょうか。僕は、あなたが会計士を名乗っていなかったとしても、〝先生〟と呼んだと思います。だって、あなたの本は、とても僕を感動させたから。詐欺を働かないと食べていけなかったなんて、思いません。あなたの本は、とてもよくできていた。きっと、あなたは色々な仕組みを考えるのが好きなんですね。そして、それを人にわかりやすく説明する能力も持っている。それは、僕なんかにはない、すばらしい才能だと思います。――これからあなたがどうなるのか、僕にはよくわかりませんが、罪を償ったら、また自然と〝先生〟と呼ばれるようになってください――」

「……」

そのとき、警官がバラバラと店内に入ってきて、山本先生はおとなしく連行されて行った。

もう、僕や萌さんを睨むこともなかった。

萌さんは、僕の背中をポンとたたいた。

「カッキー、カッコよかったわよ」

エピローグ

大阪からの帰り道。

新幹線の中で、萌さんはまたノートパソコンでCPEの講義CDを見ていた。

「……萌さんはよく平然と勉強ができますね。こんな事件があった直後なのに」

僕が非難めいた口調で言うと、萌さんは静かにヘッドホンを外した。

「別に、平然としているわけじゃないわ。あんなことがあったからこそ、無性に勉強がしたくなったのよ」

「どうしてですか？」

「本物の会計士がニセモノに負けるわけにはいかないじゃない。せっかく手に入れた資格の価値を損なわないためにも、一生懸命に勉強しなきゃ、って思ったのよ」

「——そうですね、僕も勉強しないと」

〝公認会計士という肩書きだけで、バカな経営者は絶大な信頼を俺によこす〟という山本先生の言葉が耳にこびりついている。山本先生はそれを悪用したけれど、僕たち本物の会計士は、そうした信頼を裏切ることがあっては決してならない。

「現実問題、資格がなかったら、私なんてただの生意気な女子大生よね。私がわがままして許されているのも、結局はこの資格のおかげなんだわ。私も知らないうちに、資格に助けられていたのよ」

「そういう意味では、資格は便利ですね」

「そう。便利だからこそ悪用もされるし、資格に見合った活躍ができなければ、そのぶん与える失望も大きいわ。公認会計士を名乗るなら、いつも頑張らなきゃね」

「……すごいなあ、僕はこんなに殊勝な萌さんを初めて見た気がしますよ。それだけ萌さんにとっても勉強させられた事件だったんですね」

僕が言うと、萌さんは講義CDの画面をじっと見た。

「うーん、たしかに勉強させられているわね」

「いや、そういう意味じゃなくって」

「まあ、いいわ。じゃあ、私は勉強モードに入るから、声をかけないでね」

「……あっ、ちょっと待ってください、萌さん。ひとつ気になっていることがあるのですが」

「なによ」

「この往復の新幹線代って、僕が立て替えているんですけれど、ちゃんと事務所に請求できるんでしょうか？」

「ああ……たしかに、行きにアンタが言っていたように、監査の範囲からは、ちょっと外れている感じもするのよねー」

「するのよねー……って、萌さん」

腕組みをして難しそうな顔をする萌さんに、僕は青ざめる。そんな僕に、萌さんは真顔で言った。

「カッキー。これも人生勉強よ。ありがたく思いなさい」

僕は絶句した。

これで話は終わったとばかりに、平然とした顔でヘッドホンを耳につける萌さん。その横で、僕は叫んだ。

「そんな勉強、いりません!!」


［1］物流業で商品を仕分けすること。

監査ファイル2

〈藤原萌実と謎のプレジデント〉事件

――投資と詐欺の話――

プロローグ

僕の目の前には、自分の背丈ほどもある金庫がそびえ立っている。
鉄の重たい扉を、僕は自分の手で開けてみた。
ギギーッ。
薄暗いその中には、見たこともないような大量の札束の山が――。
「順徳《じゅんとく》課長!　いったい、これは……」
僕は、愕然《がくぜん》として後ろを振り返った。

財務課長の順徳さんは、真っ青になってブンブンと首を振っている。どうやらなにも知らないらしい。

僕はめまいがした。

どうしよう。いっそのこと見なければよかった。そうしたらなにも気づかないまま、実《じっ》査《さ》を終了できたのに。

やっぱりあの扉は、鶴の恩返しの扉だったんだ――！

〈藤原萌実と謎のプレジデント〉事件 ——投資と詐欺の話——

第一章　カッキーと秘密の部屋

1

僕は柿本一麻、二十九歳。

会計士補として監査法人に入所して、丸一年になる。

なんのとりえもない会計士補である僕は、いつも上司から「カッキー、もうなにやってんのよ」「いい加減にしなさいよね〜」などとブツブツ小言を言われている。女性口調なのは、上司が女性だからだ。別にオカマさんなわけではない。名前を藤原萌実、通称、萌さんという。

その萌さんに急用ができたとかで、僕は昨日突然、一人で監査に行くように言われた。

正直、『やった、今回は小言を言われずに済む!』と思った。でも同時に、三ヵ月前の悪夢を思い出して不安にもなった。

そう、あれは三ヵ月前――僕は初めて一人で現場に出たのだが、恥ずかしながら萌さんに電話をかけまくってしまったのだ。うう。

「萌さ〜ん、棚卸は全部見て回ったほうがいいんでしょうか〜」

「みんなの前で講評してください、って突然言われたんですけど、どうしましょう〜」

という調子で一時間に十回くらい電話をかけていたら、萌さんがキレた。

「あのねぇ、アンタ私をテレホンサービスかなんかと勘違いしてない？　今度から一回につき一万円取るわよ！」

こうしてさんざんドタバタした挙句、株券を数え忘れるなどの失敗をしでかし、僕は萌さんに大目玉をくらった。これが悪夢でなくてなんだろう。

いや、いまから思うと僕にとってではなく、萌さんにとっての悪夢だったのか……。

悪夢対策なのか、萌さんはこう僕に宣言した。

「いい？　今回の実査では三回までしか私に電話をかけちゃだめだからね」

「三回以上かけたら、どうなるんですか？」

「絶対、電話を取らないわよ。もしくは取ってもずっと無視する」

「そんなあ～、なにかあったらどうするんですか～～」

「だから、三回はかけてもいいって言っているじゃないの」

「……せめて五回」

「ダメ！　私だって大事な用があるんだから！」

というわけで、今回の仕事では電話は三回までと制限されてしまった。

大丈夫かな、僕……。

2

そして今日、九月三十日の夕方、僕は一人で後鳥羽《ごとば》運輸株式会社の本社へとやってきた。

今日は通常の監査ではなく、現物《げんぶつ》調査を行う。現物調査とは、現金や有価証券[2]の金額を確定させることで、僕らの業界用語では「実査」という。決算期末・中間決算期末[3]の年に二回は、最低実施しなければならない。

「今日はよろしくお願いしますよ。柿本先生」

僕を出迎えてくれたのは、順徳さんという中年の財務課長さんだ。僕は過去に三度ほどこの会社に来たことがあるので、初対面ではない。悪い人ではないのだが、あんまり頼りになるほうでもない……もっとも向こうもそう思っているだろうけど。

「こちらこそよろしくお願いします、順徳課長。えーっと、さっそくですが、財務部の金庫を確認させてください」

「はい、こちらへどうぞ」

僕はエレベーターで五階に案内されて戸惑った。

「あれ？　財務部って十階じゃありませんでした？」

「先月、五階に移りまして……あんまり嬉《うれ》しくないんですよねえ。このフロア、緊張するんですよ」

「はあ……」

なんでだろう？　まあいいけど。

財務部に案内された僕は、とりあえず手提げ金庫の現金を数え、帳簿と合っていることを確認した。

「現金はOKです。次に金庫の中を見せてもらえますか」

金庫を調べる目的は、保管状況はきちんとしているか、整理整頓《せいとん》されているか、株式などの有価証券が帳簿と合っているか、などをたしかめるためである。ちなみに現金用の手提げ金庫も、夜間はこの金庫にしまわれる。

「順徳課長、順徳課長」

僕は、金庫のダイヤルを回している後ろ姿に声をかけた。

「はい、なんでしょう」

「本社にある金庫ってこれだけですか？」

「ええ、この財務部にある金庫だけですよ——多分」

「多分って、なんですか。多分って」

「いやあ、この会社には私の知らないこともたくさんありますからねぇ」

「……気味の悪いことを言わないでくださいよ」

僕の言葉をハハハと笑って受け流すと、順徳課長は金庫を開けて、中から有価証券を取り出した。

「あっ、すみません、有価証券を数える前にトイレをお借りしてもよろしいですか？」

「はい、どうぞ。この部屋を出て左側に進むとあります……あの、柿本先生、くれぐれも右側には行かないでくださいよ」

「どうしてですか？」

「社長室があるんで、一般社員は近づいちゃダメなんですよ。私が行っても怒られます」

「えっ、近づくだけでダメなんですか？」

「はい、ダメなんですよ」

へぇ～、と妙な感心をしながら僕は部屋を出てトイレへと向かった。

しかし、ダメだと言われると余計に見てみたくなるのは世の常である。はいそうですか、と素直にきけるなら、与ひょうだってオルフェウスだって苦労はしなかったのだ。

もし見つかっても、道に迷ったと言えば、外部の人間ということもあり許してもらえるだろう。

後鳥羽運輸の創業社長・後鳥羽隆也《たかや》と言えば、一代で財を成した経営者で、滅多《めった》に表には出てこないが、起業家支援や投資などでも有名な人だ。その人の部屋を、やっぱり扉だけでも見てみたい。

財務部の前を通り過ぎ、秘書室、専務室――そして社長室。

そこで僕は息を飲んだ。

「あれっ、扉が開いている……」

うっ、困ったな。これじゃ中を覗《のぞ》いてみたくなるじゃないか。物語では大抵、覗くとロクなことがないんだけど……。

「うーん」

腕組みをして考えることしばし。僕は意を決するとキョロキョロと辺りを見回し、誰もいないのを確認すると、そおっと中を覗きこんだ。

——なんだ、普通の社長室じゃないか。

高価そうな絨毯《じゅうたん》。大きな革のソファ。黒光りしている木目のデスク。背の高い観葉植物に、立派な絵画。

「あれっ⁉」

そして、その奥に僕は見つけたのである。発見してしまったのである。財務部にしか存在しないはずの——金庫を。

3

な、なんでこんなところに金庫が⁉

僕はあわてて順徳課長のところに戻って、社長室の金庫も確認したいと言った。なにせ、実査では社内にあるすべての金庫を確認しなければならないのだ。ところが、順徳課長は困った顔をするばかりである。

「だから社長室の中には入れないんですよ……」

「それでも見せてもらわなければ困ります！」

僕らは結局二人して秘書室へ向かった。対応してくれたのは、秘書室長の御門《みかど》さんという女性だった。

彼女は挨拶《あいさつ》もそこそこに、「社長は外出中です。私から許可は絶対に出せません」と冷たく言い放った。

「そこをなんとか……」

と言ってもまったく聞く耳を持たない。

どうしようもなくなった僕は、一度秘書室を出て、萌さんに電話をかけることにした。

「もしもし、萌さんですか？」

「ワイワイ……ガヤガヤ……ザワザワ……なに、カッキー？　こんなときに一体なんなの？」

携帯電話の向こうからは、騒がしい雑踏の中にいるような声が聞こえてくる。

「こんなときって、いま僕は萌さんの代わりに実査をやっているんですが」

「そうだっけ？　私だって忙しいのよー」

ブウブウ言う萌さんに構わず、僕はこれまでの経緯を説明した。

「カッキー、アンタ、なんてつまんない事で電話をかけてくるのよ!!」

思いっきり怒鳴られて、僕は電話を耳から離した。

「そんな事、自分の力でなんとかしなさい。かけてきていいのはあと二回だからねっ！」

プチッ、ツーツー。

ああ……貴重な一回を無駄遣いしてしまった……。

「仕方ないなぁ……こうなったら勇気を振り絞って……」

僕は御門さんに必死に頼み込む戦法に出た。

土下座する勢いで頭を下げ続けること十分、僕はついに社長室に入れてもらうことに成功した。よかった、勇気を振り絞った甲斐《かい》があった。

もちろん入れてもらうだけでは話にならない。

「御門さん、金庫を開けてください」

ところが、御門さんはまだためらっていた。

「御門さん、監査法人として、この金庫は絶対に見過ごせません――あなたには責任が行かないようにしますから」

「……」

御門さんはしばらく考えたあと、あきらめたようにため息をつき、金庫のダイヤルを回してくれた。

僕がギギーッと扉を開くと――そこには、冒頭の札束の山があったのである。

4

いっそ見なければよかった、などと思っても、もう見てしまったものはどうしようもない。大体において、監査人としては、むしろ発見できてよかったと言える。

立入禁止の社長室の金庫にある大量の札束……これはなんだろう。財務部にあった現金が帳簿と合っていた以上、裏金《うらがね》としか考えられないが。

僕は「知らない」と首を振っていた順徳課長を、もう一度振り返った。

「順徳課長、本当にこの現金について、なにもご存じないのですか？」

「はい、私にはさっぱり」

た、頼りない。

僕は黙って立っている御門さんを見た。

「御門さんは、いかがですか？」

「……」

「現金があるのは、財務部の金庫だけだったはず……つまりこれは簿外現金[4]ということになり、大問題なのですが」

「……」

「それは、黙秘ですか？」

「……そう受け取ってもらっても構いませんわ。たとえ会計士の先生であろうと、社長のプライベートに関わることをお話しするわけにはまいりませんので」

「では、これは会社の現金ではなく、社長個人の現金なのですか？」

「……」

「これも黙秘ですか……」

とりあえず僕は、札束を数えることにした。

一〇〇万円の帯のついた束が一〇〇束。つまり、一億円がこの金庫にあった。

「一億円もありますよ。知っていることがあるなら教えてください！」

「……」

御門さんは押し黙ったまま、順徳課長は御門さんと僕の顔をオロオロと見比べている。

仕方なく、僕は二回目の電話を萌さんにかけることにした。

「もしもし、萌さんですか？」

「ガヤガヤ……ソレデハ、カンパーイ！　…ガヤガヤ……なに？　また、カッキーなの？

もう、私は忙しいのよ」

「お言葉ですが、僕にはさっき乾杯の音頭が聞こえたんですけど……」

「き、気のせいよ、それはきっと」

追及したいのはやまやまだが、とりあえず僕は社長室の金庫から札束が出てきたことを報告した。

「……わかったわ。謎の一億円があるってことね」

萌さんは、さすがに真剣な声で言った。

「カッキー、よく聞いて。現金がどこからか湧いてくるなんてありえないの。会計には二面性があって、現金という〝資産〟が存在するからには、必ずその〝資金源〟も存在しているはずよ。目の前の一億円にとらわれないで、どこから現れたのかを考えなさい」

「あの〜、秘書さんの口ぶりからすると、社長個人の現金の可能性もあるのですが。社長が自分の家からお金を持ってきて、しまっていた場合、どうなるのでしょうか」

「ものすごく問題なわけじゃないけど、管理体制が問われるわね。公私混同なわけだし。それに、多分それは個人の現金じゃないわよ」

「どうしてですか？」

「そこの社長は投資家として有名でしょう。で、投資好きのあまり、貯金はサラリーマン並みにしかない、って聞いたことがあるわ。それなのに一億円の現金は多すぎる——だいたいにおいて、会社の金庫に置いてある以上、会社の財産を流用したと考えるほうが自然ね」

「やっぱり、そうですか」

「可能性のある資金源としては、売上代金をネコババ、会社の資産を換金、もしくは脱税で作った裏金——とにかく、こうして考えていてもしょうがないわ。とりあえず普段通り、実査の手続きをしなさい。ただし、くれぐれも慎重にするのよ」

5

僕は萌さんに言われたとおり、財務部に戻って実査の続きをすることにした。

急がば回れだ。こうして調べていけば、なにか怪しい点が見つかるかもしれない。

「えーっと、そうだ、有価証券の確認をするところだったんだっけ」

僕はあらためて順徳課長に有価証券を出してもらった。

有価証券は全部株券だった。僕は順徳課長に一社ずつ説明してもらいながら、社名や数量を確認していった。

「あれ。なんだこれ」

コピーだ。

株券のコピーが混じっている。

怪しい……。

「順徳課長、どうしてこの束だけコピーなのですか」

「それはですねぇ、ちょっと待ってくださいよ」

順徳課長は、ファイルから銀行の預り証を出して説明してくれた。

「何日か前に御門さんがやってきて、『社長が知り合いの会社に株券を売る交渉をしますから』と言って、株券をいくつか持っていったのです。そのあと社長が売却準備のために、この地方銀行に預けたそうですよ。これがその預り証です」

なるほど。コピーがあれば株券番号もわかるし、銀行の預り証もあるから、別に気にしなくてもいいか。僕は他の作業に移ることにした。

――でも、ちょっと待てよ。

前回、僕は株券の数え忘れで失敗をしている。

さらに、萌さんは「くれぐれも慎重に」と言っていた。

「ここはひとつ、念を入れておくか――」

僕は、株券の売買交渉が現在どうなっているのか、銀行での保管状況はどうなのか、順徳課長に調べてもらうことにした。

そして、僕は恐る恐る萌さんに三回目の電話をした。

「もしもし、萌さんですか？」

「ワイワイ……ソレガサァー、チョーオカシクッテー……ワイワイ……もしもし、カッキー？　アンタ、これが最後の電話だってわかっているんでしょうねぇ」

「はい、わかっています」

「ふーん。っていうことは、なにか新しい発見でもしたのね」

「そうなんです。実はコピーされた株券の束を発見したのですが、これって怪しくないですか？」

「株券のコピーねぇ……カブケンノコピーナラ、キケンカモナ……やっぱりそうよねぇ」

「萌さん、一体誰と話をしているんですか？　そばに誰かいるんですか？」

「あー、経営コンサルタントの和気《わけ》さんよ。[5] カッキーも知っているでしょ」

「えっ！　なんでそんな奴と一緒にいるんですか⁉」

「それが、今日の合コンのメンバーの中に偶然いたのよー。ホント、超ビックリだわ」

「……人に仕事を押しつけておいて自分は合コンをしている、という上司の行動に僕はビックリですよ」

「ごめん、ごめーん。だって、どうしてもメンバーが足りないって頼まれたから……カブケンノゲンブッハ、ドコニアルンダ……そうそう株券の話だったわ。株券の現物はいまどこにあるの？」

「銀行が保管しているみたいですよ。預り証はありますが、これまで取引のない地方銀行のようで、詳しいことはわかりません」

「これまで取引のない銀行に預けているって……ソレハ、タンニアズケテイルダケカ、アヤシイナ……そうね。株券を意味もなく預けているっていうのは考えにくいわね」

そのとき、順徳課長がアタフタと僕のもとへ駆けてきた。

「柿本先生！　銀行に電話したのですが、『たしかに預かっているが、売買の話なんて聞いていない』と言ってます」

「えっ!?」

僕は驚きながら、そのまま萌さんに伝えた。

「なるほどね……カッキー、今日はもうその件はいいわ。アンタは実査を終わらせて帰りなさい」

「ですが……」

「今日は社長はいないんでしょう？　本人がいない以上、あとはどうしようもないわ――あっ、預り証はコピーしておいてね。それから、明日の社長のスケジュールを押さえておいて」

「というと？」

「もちろん、ギャフンと言わせてやるのよ。この私が主査をしている以上、裏金づくりなんて許さないわよ！」

6

翌日。

僕と萌さんは予定していた仕事を終えてから、後鳥羽運輸に駆けつけた。

出迎えてくれたのは、秘書室長の御門さんである。

「あの、お二人にお願いがあります」

御門さんは、萌さんと名刺交換を済ませると、言いにくそうに切り出した。

「なんですか？　御門さん」

僕が聞くと、御門さんは声をひそめて言った。

「社長については、内密にしていただきたいのです」

「は？」

思わずそう言った僕の隣で、萌さんは眉《まゆ》をひそめた。

「……意味わかんないんだけど」

「お会いになればわかります。どうか、お願いします、藤原先生」

「お願いったって……ねえ、カッキー」

「御門さん、それは今回の一億円に関係することですか？　もし不正に目をつぶってくれ、という意味だったら、そのお願いは聞けませんよ」

僕が言うと、御門さんは首を横に振った。

「そういうことではございませんわ――とにかく、お会いになればわかります」

「はあ……」

「では、ご案内いたします」

先頭に立って歩く御門さんの後ろを歩きながら、僕は萌さんに耳打ちした。

「どういうことなんでしょう、萌さん」

「さあ〜。でも、社長に関する秘密がなんかあるかなー、とは思っていたわよ」

「えっ、どうしてですか？」

「だって、現金を隠すためだけにしては、厳重すぎるじゃない。近寄っただけで怒られる社長室なんて、聞いたこともないわ」

「それもそうですね。よく考えたら、かえって怪しいですし」

「そうよ。それに、前から少し変だな、とは思っていたのよ。あれだけ有名な社長なのに、テレビで見たことが一切ないの。新聞や雑誌ではたまに見かけるんだけど」

「あっ、そう言われれば、僕もテレビで見たことありません」

僕は、雑誌で見た後鳥羽社長の、大きい目が印象的な丸い顔を頭に思い浮かべた。いったいあの人に、どんな秘密があるというのだろう？　それは、今回の不正となにか関係があるのだろうか……。

「ま、とにかく行けばわかるでしょう」

萌さんはそう言うと、エレベーターに乗り込んだ。


社長室では、後鳥羽社長が大きなソファにちょこんと座っていた。雑誌の写真では背丈までわからなかったが、小柄な印象だ。口ひげをたくわえているのが、いかにも社長らしい。年齢は、確か四十代後半のはずだ。

部屋には、社長の他に財務課長の順徳さんがいた。僕と萌さんは順徳課長の横に座り、社長と向かい合う形になった。

「では、ご用件をどうぞ」

社長の隣に座った御門さんが言った。僕が萌さんを見ると、萌さんは金庫に目をやりながら口を開いた。

「そこの金庫に簿外現金が一億円あるってことなんだけど。それについて説明してもらえるかしら」

「……」

みんなの視線が後鳥羽社長に集まったが、社長は不機嫌そうに黙ったままである。

また黙秘か。昨日の御門さんといい、社内文化なんだろうか。

「あっそ、黙秘ってわけね。じゃあ言ってあげるけど、ズバリ——借金なんじゃない？」

「借金⁉」

僕は思わず声をあげた。

萌さんはファイルから預り証をヒラリと取り出す。僕が昨日コピーして帰ったものだ。

「これが証拠よ。柿本から聞いたところによると、売却準備のために銀行に預けてあるってことだったわね……御門さん？」

「……はい」

御門さんが渋々うなずく。

「ところが銀行に確認してみたら、そんな話は聞いていないという。そりゃそうよね、本当は担保として預けたんだから」

「担保⁉」

腰を浮かせたのは順徳課長だ。自分が管理していたはずの株券がいつのまにか担保に入っていたら、そりゃビックリするだろう。

「萌さん、株券で借金ができるんですか？」

「もちろん。株券を担保に差し出すのはよくあることよ。この預り証に書いてある株券の時価総額を調べてみたけれど、一億二千万円ほどあったわ。借金一億円の担保にちょうどいい金額ね」

「ええーっ」

後鳥羽社長を見ると、大きな目を気まずそうに泳がせている。これはどうやら本当らしい。

「萌さん、じゃあ後鳥羽社長は、会社の資産である株券を勝手に担保に入れて、借りたお金を個人的に使おうとしていたってことですか？」

「そうよ、カッキー。だいたいアンタ、この預り証見ておかしいと思わなかったの？　会社じゃなくて社長の個人名になっているじゃないの」

「えっ」

……本当だ。全然気がつかなかった。

「社長、これは立派な横領よ。私たち監査法人や財務部に気づかれないように、わざわざこれまで取引のなかった地方銀行から借りたのも悪質だわ」

「……」

「ちょっと、まだ黙っている気なの？　なんとか言いなさいよ‼」

バン！

萌さんがテーブルを叩《たた》く音が、部屋に響いた。

「あ〜っ、もう、ここまでバレちゃってるんじゃ、しょうがないわね！」

⁉

僕と萌さんと順徳課長は凍りついた。

な……なんだ、いまのは。

「もうっ、だからボク、会計士なんて嫌いなのよッ！」

そう言って頭をかきむしっているのは……ヒゲづらで小太りの、後鳥羽社長である。

「オ、オカマ……!?」

萌さんが あ然としながら言った。

御門さんを見ると、天をあおいでいる。そうか、さっき御門さんが「会えばわかる」と言っていたのは……。

「フンッ、わかったわよ。あきらめるわよ。で、どうすればいいの!?」

後鳥羽社長はキレ気味に言った。

「どうって、ええーっと、その、あれよ。借入金としてちゃんと帳簿に計上してもらえれば……」

すっかり毒気を抜かれた萌さんが答える。

「それは困るわよ。あの一億円は必要なのッ!」

「じゃあ、担保に入れた株式は会社が社長個人に貸し付けたものだ、ということにしてくれてもいいわ。この場合、もちろん利息が発生するけれど」

「わかったわ、御門、そうしておいて——あーあ、アンタたち会計士って、ホント頭が固くってイヤ。誰にも迷惑かけてないんだからいいじゃないの、まったくッ」

これにはさすがにカチンときたらしい。萌さんがピクリと眉を上げる。

「そういう問題じゃないでしょ! だいたいにおいて、なんでここに金庫があるのよ。今回のためだけにわざわざ金庫を作ったとも思えないし……ちょっとオカマ、アンタこの件以外にも、ずっと前からこの手を使っていたんじゃないの!?」

「まあっ、人聞きの悪い！　この金庫は、ボクの大切な宝石たちをしまっておくためのものよッ。家に置いておくと危ないもの。今回はたまたま一億円が必要になったから、入れておいただけよッ」

「宝石なんて、家にしまいなさい、家に！　会社の金庫には、私物があっちゃダメなの!!」

「なんでよ！　減るもんじゃなし、いいじゃないのッ!!」

ギャーギャーやっている萌さんと後鳥羽社長を尻目《しりめ》に、僕は御門さんに話しかけた。

「あの、御門さん。隠しておきたかった社長の秘密とは、その……オカマであることですか？」

「……はい。社長ご自身も、さすがに上場企業の社長がオカマというのは外聞が悪い、と思っておられますので。このことを知っているのは秘書室の者と、役員だけです。古くからの社員も知っていますが……上場を期に、社長室に近づくのは厳禁にしたので、多くの社員は知らないはずです」

僕はチラッと順徳課長を見た。魂が抜けたような表情で萌さんと社長のケンカを眺めている。ケンカというよりは、掛け合い漫才に近い気もするけど。

「だからテレビにも出ないんですね」

「ええ。雑誌や新聞なら男言葉に書き換えてもらえますが、テレビやラジオはそういうわけにいきませんので……株主総会のときなど、いつもわたくしどもはヒヤヒヤですわ。感情が高ぶるとすぐに本性が出てしまうので、いつ社長がボロを出すかと……」

「ご、ご苦労お察しします……」

やれやれ。それにしても、これで一件落着か。

結果的には、僕が不正を発見したんだから、今回は手柄と言ってもいいんじゃないだろうか（解決したのは萌さんだけど）。

あの扉は、幸運の扉だったのかな。いやあ、覗《のぞ》き見はしてみるものだ。

僕が上機嫌で帰り支度をはじめたとき、萌さんが驚きの声をあげた。

「え、なんですって？　オカマ」

「だから、あの一億円は、投資資金だったのよ。ボクの趣味は投資だもの」

「そうじゃなくって、どこに投資するんですって⁉」

萌さんの剣幕に、後鳥羽社長はたじろいだ。

「日欧馬主会《にちおうばぬしかい》よ。それがどうしたのよ」

「……ちょっとオカマ、それ、ヤバイかもしれないわよ——」

このあと僕は知ることになる。やっかいごとは、謎の一億円だけではなかったことを。

第二章　萌さんと不死鳥の詐欺団

1

後鳥羽社長は、その場で投資についての話をしてくれた。社長の言葉をそのまま書くと緊張感に欠けるので、僕が要約する。

例の一億円は、後鳥羽社長が「日欧馬主会」という団体に出資するための資金だった。日欧馬主会はマサコ＝ミナモトという大富豪の未亡人がつくった馬主の会で、夫人は亡き夫の残したサラブレッドをヨーロッパ競馬界で走らせ、大成功を収めている。

夫人は、そのサラブレッドを次々に種牡馬《しゅぼば》として日本に送り、その子を日本で走らせようと計画した。しかし日本への輸送費が結構かかるため、日本の馬好きのお金持ちに出資を募ることにした——。

どうやらこれは、競馬場の馬主席にいるようなＶＩＰな人たちの間では有名な話らしい。

「ま、アンタみたいな一般庶民には関係ないでしょうけどねッ」

後鳥羽社長はフフンと鼻を鳴らした。

萌さんはそんな後鳥羽社長をギロッと睨《にら》む。

「オカマ。いますぐその減らず口を閉じないと、このまま見捨てて帰るわよ」

「……なによ。どういうことよ」

さすがに後鳥羽社長が不安そうな顔をする。萌さんは、ひとつため息をついて言った。

「つまりアンタは詐欺にひっかかっているってことよ」

詐欺――!?

全員が後鳥羽社長を見た。

「なっ、なっ、なっ、なに言っちゃってんのよ、アンタ!?　どこにそんな証拠があるっていうのッ」

後鳥羽社長は怒りのためか、顔を真っ赤にしている。その顔の横でプルプルと震えるゲンコツがかわいいと言えなくもない。

「……ねえ、カッキー。私、こいつを放って帰ってもいいと思う？」

萌さんがゲンナリした様子で僕に聞く。

「えーっと、そうですね……担保に入れた株券の処理も決まりましたし、僕たちの仕事は一応終わったので――いいといえば、いいような気もします」

「あっそ。じゃあ、帰ろー」

そう言って席を立った萌さんを、今度は後鳥羽社長が必死の形相で引きとめた。

「ま、待ってェッ！」

「なによ、オカマ。どきなさいよ、私は帰るんだから」

「詐欺に遭っているかもしれないって私を、見捨てるのッ⁉」

「そうよ、私の仕事は終わったもの。アンタ助けても、別にいいことないし～」

「キィーッ、これだから会計士ってヤツは！　アンタたちはねえ、そうやって物事を四角四面に考えるから、小者なのよッ‼」

「小者で結構よ、じゃあね、バイバーイ」

萌さんが本当にドアを出て行こうとすると、後鳥羽社長はあわててその腕にすがった。

「待って、待って！　お願い、見捨てないでッ‼」

たっぷり十秒まってから、萌さんが振り返った。

「代わりになにしてくれる？」

「……なにして欲しいのよ」

「そうね、じゃあその一般庶民には関係のないＶＩＰな馬主席とやらにでも招待してもらいましょうか。もちろん、競馬代もアンタ持ちでね。オホホホホ」

「ううッ、うううう……わ、わかったわよッ！」

2

翌日。

僕と萌さんは朝から後鳥羽運輸に来ていた（たまの事務所勤務の日が潰《つぶ》れてしまった）。

「それで、頼んでおいた日欧馬主会の資料はどこよ」

社長室に入るなり、萌さんはドッカとソファに座って言った。

「これよ。もらった資料はこの封筒の中に全部入れてあるわ」

社長はテーブルの上に、分厚い封筒をそっと置いた。萌さんよりよっぽど女らしい手つきである。

「資料だけはいっぱいあるのね……よくある詐欺の手口だわ」

「萌さん、あの〜、昨日から疑問に思っていたのですが、どうして詐欺って決めつけるんですか？」

「ん〜……勘？」

「勘って……まあ、確かに萌さんの勘はよく当たりますけど。でも競馬好きの僕としては、日欧馬主会のプランに投資したくなった社長さんの気持ちもわかるし、ちょっと詐欺だなんて信じたくないんですよね」

「あら、アンタ話がわかるわね」

後鳥羽社長は僕を見て嬉《うれ》しそうに言った。

「はい、僕は競馬歴十年です。そういえば、社長のご趣味は投資なんですよね。競馬はやっぱり、ギャンブルじゃなくって夢への投資活動ですよね！」

後鳥羽社長はちょっと首をひねった。

「……なんか、アンタの言っている〝投資〟とボクの〝投資〟は、意味が違うような気がするんだけど」

「そ、そうですか？」

「まあ、いいわ……それより、アンタ、よく見ると結構カワイイ顔してるじゃないの」

「えっ!?」

……後鳥羽社長の目が急に熱っぽくなったように見えるのは、気のせいだろうか。

誰か気のせいだと言ってくれ。

「カッキー、よかったわね。玉の輿《こし》決定じゃないの」

「な、なに言ってるんですか、萌さん！　ええーっと、ええっと、そんなことより、ホラ、この封筒を見てくださいよ、〃株式会社　日欧馬主会〃ってなっていますよ。株式会社なんですから、詐欺ってことはないんじゃないですか？」

「なんで株式会社だと大丈夫になるのよ。株式会社なんて一〇〇〇万円積めば誰でも作れるのよ。[6]おまけに、数十万円も出せば休眠会社を買えるんだし。休眠会社を買って、社名変更をすれば、アッという間に新株式会社のできあがりよ。株式会社ってステイタスで人を信用させるなんて、詐欺の常套《じょうとう》手段なんだからね」

「……よっぽど詐欺にしたいんですね、萌さんは」

「違うわよ。そうじゃなくて……」

「アンタ、ボクへの嫌がらせだったら、ただじゃ済まないわよ」

後鳥羽社長が唇をとがらせながら言う。

「私だって、そこまで暇じゃないわよ！　ていうか、ヒゲの乗っかった唇とがらせられても、かわいくないのよーっ！」

「うるさいわねえ、ちょっとくらい顔がかわいいからって、えらそうに言わないでよ。なんにせよ、VIPな馬主席がかかっているんだから、ちゃんとやってよね。じゃあボクは、役員会議に行ってくるから」

後鳥羽社長は僕らを残してパタパタと部屋を出て行った。入れ替わりに、御門さんがコーヒーを持って入ってくる。

「あっ、ありがとー。秘書室長みずから悪いわね」

「いいえ、お二人がこちらにいらっしゃる事情について知っているのは私だけですから、当然ですわ」

「そうだ、御門さん、ついでにちょっと頼みがあるんだけど——」

僕らは日欧馬主会のパンフレットや、決算書、目論見書などを調べはじめた。

「うーん。なかなかいい線いっているんじゃないですか」

「どこがよ、カッキー」

「このロベスピエールという馬は血統から見て日本の馬場で絶対走りますし、このミラボーは昨年の凱旋門賞馬を産出しています。これなら、日本でも活躍する馬を産むんじゃないかと」

「カッキー、なに見てしゃべっているの？」

「えっ、所有馬リストですけど」

「あのねー。これだけ決算書とかがあるんだから、会計士ならそっちを先に見てよね」

……勤務時間中に、もはや仕事と関係のない調査をしている人の言うことだろうか。

その後、とりあえず僕は勝利した馬の賞金と売上高の整合性が取れているかどうかを調べ、知っている馬が登場するたびに狂喜乱舞していたのだが、結局そこから問題点はなにひとつ見つからなかった。

日欧馬主会の最新の決算書を見ても、別にこれと言って特殊な点は見当たらない。資産は五〇億円、売り上げは一五億円、収益は三億円となっていた。

「なかなかじゃありませんか。資産の中身も高額の所有馬でしょうし」

「アンタねぇ。決算書一枚見ただけじゃなにもわからないでしょう。決算書は過去と比べるか、同業他社と比べる、もしくは業績予想や予算と比べないと真実は見えてこないのよ。そんなの会計士のイロハじゃないの」

「は、はい。では、過去の決算書を見てみます」

僕は過去五年間の決算書を見比べてみた。

うーん、特徴らしい特徴といえば、資産の推移ぐらいかなあ。

「萌さん、別になんてことない五年分の決算書ですよ。特に変な動きはなく、毎年五億円ずつ、資産を順調に増やしていっている感じです」

「ふーん。じゃあ、所有馬数の推移はどうなっているの?」

「ええーっと。一九九九年から順番に言うと、三七頭、四一頭、四九頭、五三頭、そして二〇〇三年が五九頭です」

「お馬さんの数も順調に増える一方なのね」

「だから資産も毎年増えているんですね」

「……」

「決算書には、特に問題がありませんねえ」

「大アリよ」

萌さんの口調は厳しかった。

「私、競馬ってあんまり詳しくないんだけど、たしか競走馬って現役時代が短いんでしょう」

「ええ。たしかに五~八歳くらいで引退してしまいますね」

「引退した馬はどうなるの?」

「ごく一部の馬は種牡馬として高い値で売れますが、ほとんどの馬は乗馬クラブなどで余生を過ごすだけです」

「つまり、引退した馬のほとんどは資産価値が低いってことね」

「まあ、そうなります」

「じゃあ、どうして過去五年間、資産の額が増える一方なの？　五年も経てば引退した馬だっていっぱいいるでしょう。その分減らなくちゃおかしいわ。それに現役の馬の分だって、毎年きちんと減価償却《げんかしょうきゃく》[7]をしていれば、資産の額は年々減っていくはずよ」

「馬も減価償却するんですか!?」

「もちろんよ。会計では機械も家畜も同じ扱いをするからね。ほら、馬だって走れば疲れていくじゃない」

「でも、資産が増えていく一方なのは、新馬もたくさん購入しているからじゃないですか？」

僕も引き下がらない。大好きな馬のことなので、ちょっと熱くなっているのかもしれない。

「だーかーらー、この会社の会計処理は、決算書を見る限り新馬の購入価格を単純に足していっているだけなのよ。減価償却せずにね。そんないい加減な処理、資産に対してなんの管理もしていない証拠じゃないの。どうやらいい加減な会社みたいね、この〝株式会社〟さんは」

3

しばらくすると、後鳥羽社長が戻ってきた。

「どぅお～、なにかわかったぁ～？」

気の抜ける問いかけに、萌さんはガクリと肩を落としながらも、書類を見た結果を社長に報告した。

「――というわけで、資産の管理もできていないような会社……もしかすると積極的にごまかしているかもしれないような会社は、信用すべきじゃないわ。……もっとも、どこかのオカマの会社も怪しいことをしていたけれど」

「チョット！　怪しいことをしていたのはボク個人で、会社のみんなはちゃんとやっているわよ！」

「堂々と言えることじゃないでしょ！」

コンコン。

ノックの音がして、御門さんが入ってきた。

「藤原先生、頼まれたものをお持ちしましたわ」

「ありがとう。さすが有能秘書は仕事が早いわね」

萌さんが書類を受け取りながら言う。

「いいえ、近くの登記所でよかったですわ」

萌さんが手にしているのは、「株式会社　日欧馬主会」の登記簿謄本《とうきぼとうほん》である。さきほど、取ってきてくれるように御門さんに頼んだのだ。

「どうですか？　萌さん」

「あー、やっぱりね。半年前に社名変更して、役員も全部入れ替わっているわ。これは、休眠会社を買って株式会社にしたパターンの可能性が高いわね」

「じゃあ、やっぱり……」

「もちろん、このテを使う会社がみんな怪しいってわけじゃないわ。でも、うますぎる投資話、不自然すぎるほど充実した資料、不透明な会計処理——って要素をプラスすると、詐欺と思ったほうがいいわね」

「えっ、本当なのぉ……」

後鳥羽社長が泣きそうな顔になった。

「とにかく、こんな怪しいところには一円たりとも出すべきじゃないわ。わかった？」

「もう、出しちゃった……」

「もう、出しちゃったのよ。手付金《てつけきん》だけだけど」

「はあ⁉」

「いくら⁉」

「一〇〇〇万円……」

「ばっ……バカ！　ちょっと御門さん、すぐに日欧馬主会に電話して、手付金を返してって言って‼」

「は、はい。わかりましたわ」

御門さんがあわてて出て行く。

が、十分後、御門さんは暗い顔をして帰ってきた。なんだかんだと理由をつけて、返金に応じてもらえなかったのだそうだ。

「ボクの一〇〇〇万円……」

社長は半ベソだった。

萌さんはため息をつく。

「まあ、一億円つぎこむ前でよかったじゃないの。授業料だと思いなさいよ」

「思えるわけないでしょ！　ちょっと、アンタなんとかしなさいよ。それじゃなきゃVIPな馬主席の話はナシよッ！」

「ええーっ！　一億円ソンするところを止めてあげたのよ⁉　それだけでよしとしなさいよ！」

「……萌さん、ちょっと待ってください。きっと他の人たちも、日欧馬主会にお金をつぎこんでいますよね」

萌さんはウッとつまった。

「そうよ、ボクの投資家仲間は、みーんなもう払っちゃってるのよ」

「――確かに、詐欺だってわかっているのに、これ以上の被害を見て見ぬふりはできないわね……」

萌さんはそのまま考え込んでしまった。

「そういえば、どうして萌さんは、日欧馬主会のことを最初から疑っていたんですか？」

「それはね、この話を聞いたのって、実は初めてじゃないのよ――」

4

次の日の夕方。

僕は仕事帰りに萌さんと都心のターミナル駅で待ち合わせをしていた。今日は、別々の会社に行っていたからだ。

「カッキー、おつかれ。じゃあ、行くわよ」

「どこにですか?」

「うーん。私も初めて行くから、口では説明しにくいんだけど、しいて言うなら〝雑居ビル〟かしら」

「〝雑居ビル〟に連れて行って、僕をどうするんですか?」

「とにかく黙ってついてきなさい。今回はアンタが必要なの!」

めずらしく必要とされた僕は、おとなしく萌さんの言葉に従った。

賑《にぎ》やかな駅周辺からどんどん離れていき、五・六階建てのビルが林立している辺りで萌さんが歩みを止めた。

どうやら、このビルらしい。本当に〝雑居ビル〟だ。

僕らはおんぼろエレベーターに乗り、四階で降りた。

「794コンサルティング」という看板の前で萌さんは立ち止まり、ドアを勢いよく開けた。しかしボクは看板に釘付《くぎづ》けになってしまった。社名の下には、小さく「代表　和気清《きよし》」と書いてある。

えっ、和気って……。

「ワケキョ〜、来たわよー、いるー？」

僕はあわてて萌さんのあとを追いかけた。

「もっ、萌さん、ここって和気さんの事務所なんですか!?」

「そうなのよ。アイツ、裏の仕事ばっかりやっているから、こんなドブネズミみたいなところで仕事しているのよね〜」

「〝ドブネズミみたいなところ〟で悪かったな」

「げっ！　後ろにいたの、ワケキョ」

「あのなぁ、萌ちゃん。裸一貫で自分の事務所を開くというのがどんなに大変か、お前さんにわかるか？　いや、わかるまい」

「わからなかったら、それでいーじゃない」

「そうじゃないだろう。今日はこのあと俺の行きつけのバーにでも行って、どうやって自分の事務所が持てるようになったかゆっくり話してやろう――その前に、この連れのボーッとした男はなんだ？　あの時の会計士補か？」

「そうよ。アンタの事務所なんかに、怖くて一人で来られるわけがないじゃない」

僕はこの時点で、自分が必要とされた理由を知ってしまった……。

和気さんは事務机が並んでいる部屋を通り過ぎ、僕らを応接室に案内した。

「あら、ボロはボロなりに応接があるのね。すごいじゃない、ワケキヨ」

「まあな」

「あの～、萌さん。さきほどから気になっていたのですが、そのワケキヨってなんですか」

「だってコイツを〝和気さん〟なんて呼ぶの癪《しゃく》じゃない。マツモトキヨシが〝マツキヨ〟なんだから、和気清は〝ワケキヨ〟に決まっているわ」

決まっているのかなあ……。

当の和気さんは萌さんの前に座って苦笑していた。

「それで、この前話した日欧馬主会への出資の件だが。どうだ、萌ちゃんも一口乗る気になったか」

「も、萌さんにも日欧馬主会の話が来ていたんですか⁉」

「そうなのよ。この前、ワケキヨに会った時に『絶対儲《もう》かるから』とか言われてね」

「この前って、人に仕事を押しつけて合コンに行った時ですよね。一体、合コンであなたたちはどんな話をしているんですか……」

「たしかにワケキヨがあんな話題を振ったあと、場の空気が微妙になったわねー」

「あれは俺が悪いんじゃないだろう。萌ちゃんが『お金大好き！』とか言うから、教えてやったんじゃないか」

「私、『お金大好き！』なんて変なこと言ってないわよ。『働かずに稼ぎたい！』とは言ったけど」

「似たようなもんだろうが」

「えー、人の話ちゃんと聞いている？　全然、違うじゃない。『お金大好き！』はお金が唯一の目的だけど、『働かずに稼ぎたい！』は働かないことと稼ぐことの一挙両得を狙っているのよ。格が違うわ」

「……あのー、萌さん。そんなことを話すためにここまで来たのでしょうか？」

「あっ、それもそうね……」

萌さんはようやく、後鳥羽社長との間に起きた出来事を話しはじめた。

話を聞き終えた和気さんはポツリと言った。

「そうか、あれは詐欺か。参ったな。俺はすでに一億つっこんでいるんだが……」

「ちょっとワケキヨ、アンタ気がつかなかったの⁉」

萌さんは呆《あき》れ顔だ。

「いや、後鳥羽社長ほど資料も集めていなかったしな。それに、その筋から『絶対儲かる』と聞いていたから」

「あのねー、普段『絶対儲かる』とか言って人を騙《だま》しているくせに、どうして自分が引っかかるのよ」

「いや、その筋で『絶対儲かる』と言われているものは、本当に絶対儲かるものなんだ。ちょっと確認してくる、待っていてくれ」

和気さんは席を立ち、応接を出て行った。

十分後。

「日欧馬主会の事務所とまったく連絡が取れない。恐らく、その後鳥羽社長が返金要求をしてきたことで、警戒しているか、撤退したんだろうな。俺に話を持ってきたヤマダタロウって奴の携帯電話にかけても、『自分は知らない』と言い張りやがる。俺と同じように出資した同業者も、じきに騒ぎ出すだろう」

「やっぱり、出資した人がいっぱいいるのね」

「くそっ、一体どいつが親玉なんだ!」

「──わかることはただひとつ。親玉はアンタたち詐欺師を手玉に取れるほどの力を持った人物だ、ってことよ」

5

翌日、僕らが事務所で仕事をしていると、萌さんに和気さんから電話がかかってきた。ちょっと下に降りてきてくれないか、ということだったので、僕らは一階へと降りて行った。それから、人に話を聞かれないように、目の前の公園へと場所を移す。ベンチに落ち着くと、和気さんは煙草に火をつけながら言った。

「萌ちゃん、わかったぜ。日欧馬主会の正体が」

「誰が親玉だった？」

「マサコ＝ミナモト」

あれっ、なんだか聞いたことのある名前だぞ。

「日欧馬主会を主宰している未亡人じゃない。それなら知っているわよ」

「そうじゃ、ないんだ。マサコ＝ミナモト——本名は北条《ほうじょう》マサコ。十年前にフランスに逃亡した人物だ」

「もしかして有名な人なの？」

「ああ、俺たちの業界ではな。元々は料亭の女将《おかみ》だったんだが、バブル期には伝説的な事業家として名を残している。しかしバブル崩壊後は、違法ギリギリの投資話で金を集めて、フランスに逃亡したと聞いていたんだ」

「その女が日本に戻ってきているっていうの？」

「いや、本人は戻ってきていない。日本で動いているのは、弟の北条ヨシトキだ。ヨシトキが以前の人脈を元に日本国内で動いて金を集めている。俺に話を持ってきたヤマダタロウも、おそらく北条ヨシトキ本人だ」

「ふ～ん。じゃあ実質その女が、この怪しい業界に不死鳥のごとく戻ってきたというわけね。ヨーロッパ競馬界についての資料がやけに充実しているのも、フランスにいるんならうなずけるわ。それで、ワケキヨはこれからどうするの？」

「わかったからには、なんとか金を取り返したいぜ……しかし、その方法がなぁ」

「ワケキヨは、そのヨシトキ本人と接触しているんでしょう。なにかないの？」

「そう言われてもなぁ……」

そのとき、萌さんは突然なにかを思い出したかのような表情をした。

「そうだ！　私、ずーっと気になっていたことがあったんだけど、聞いていい？」

「なんだ？」

「あのね、今回の事件に足を突っ込んだそもそもの原因は、後鳥羽社長のところで現金一億円が見つかったことなの」

「それが、どうかしたか？」

「私、どうしてわざわざ現金にしたのかな〜って不思議に思っていたのよ。持ち運びには不便だし、盗難のリスクもあるわ。普通なら、わざわざ現金化しなくても、銀行から直接振込なり小切手なりにすれば済むことじゃない」

「そう言われれば、そうだな。俺のときも現金を要求された。ということは……」

「金融機関で足がつかないようにしているのよ。そして、これからヨシトキは姉が待つフランスに帰らなければならない。そのまま現金で持って帰るのかしら？　仮に一〇億円集めたとしても、一〇億ってものすごい量と重さよ。飛行機で運ぶには不向きだわ」

「そうだな、おそらく一〇億なんて軽く超えているだろうし……そう言われれば、ヨシトキに会った時、『手っ取り早く買える非上場株はないか』と聞かれたな」

「それだわ！」

「なるほど、そういうことか。ちくしょう、あのときに気づいていれば……」

「あの〜、盛り上がっているところ申し訳ないんですが、『非上場株を買う』ってどういうことなんですか？」

意味がわからない僕は質問した。

萌さんは、そんなこともわからないのアンタ、と怒りつつも説明してくれた。

「いい、カッキー。ヨシトキは、何十億円もフランスに持って帰るわけにはいかないから、国内に隠しておきたいのよ」

「はい」

「金融機関に預けると足がつきやすいし、かといって現ナマのまま隠しておくのは危ない。だからヨシトキは投資をしておこうと思ったの」

「それで、株式を買おうとしたってことですか」

「そうよ、それも捜査当局や税務当局に見つからないように、非上場のね。ほら、リクルート事件のときとかでも使われたけど、非上場株の譲渡って見つかりにくいのよ」

「ああ、なつかしい事件ですね～」

「そうね、あのスクープはすごかったわね……ってなつかしがってどうするのよ！ ……とにかくもう時間がないんだから、急がないとお金が回収できなくなるわよ、ワケキヨ」

「ああ、そうだな」

なんとか取り戻す方法を、と和気さんと萌さんが悩み出した。しかし、いい解決法はなかなか出てこない。

そこで僕が何気なく言った。

「だったら、適当な非上場株をそのヨシトキという人に売って、お金を回収すればいいじゃないですか」

「……あのねぇ。どうやって適当な非上場株なんて見つけてくるのよ」

「いや、ちょっと待て。なかなかいいアイデアじゃないか。後鳥羽社長なら、顔の広い運輸業なんだから、〝適当な非上場株〟を見つけてこられるんじゃないか？」

「まあ、それはそうかもね。オカマとはいえ、一応凄腕《すごうで》の社長だからね」

「オカマ？　……まあいい、感謝するぜ、カッキーくん。これできれいな絵が描《か》けるぜ――」

和気さんは、そう言ってニヤリと笑った。

6

数日後、事務所で萌さんが僕を呼んだ。

「カッキー、ほらほら、ちょっとこれを見てくれない？」

萌さんは一冊の決算書を僕に手渡した。

「某中堅スーパーの子会社なんだけどね。カッキーはこの決算書、どう思う？」

　僕は決算書を開いてみた。

「スーパーの商品運搬業務を専門にしている子会社ですか」

　財務数値を見てみると、売上は減少気味であるものの、売上原価が急激に減っているので、黒字を確保できていた。

「売上原価の圧縮がすごいですね。これはかなりリストラが進行しているんじゃないですか」

「従業員数のところも見てみれば？」

　僕はパラパラとページをめくる。

「三〇〇人いたのが一年で一〇〇人ですか。特別退職金とかも出ていないみたいですね。事業は縮小気味ですけど、財務健全化が期待できますね」

「配当金のほうはどう？」

「配当性向《はいとうせいこう》一〇〇％ですね。配当にも積極的な会社か……株主には嬉《うれ》しいことでしょうね」

「実はね、カッキー。この会社の全株を、オカマはワケキヨを通して北条ヨシトキに四〇億円で売ることに成功したらしいわ」

「えっ⁉　だって、この間の話では、〝適当な非上場株〟を見つけて売るってことだったじゃないですか」

「そうよ。だから、この会社の株が〝適当な非上場株〟なのよ」

「だって、こんないい会社……十分、四〇億円分の価値があるじゃないですか……そうか、きっと後鳥羽社長はずうっと前からこの会社の株を持っていて、買ったときはものすごく安かったんですね」

「いいえ、今回新たに取引先のスーパーの会長から買い取った株だそうよ」

「えーっ、つまり、高値で買って高値で売ったってことですか？　それじゃあ、後鳥羽社長にはなんのメリットもないじゃないですか」

「カッキー。この会社の株は、アンタが見つけた、金庫に隠してあったお金で買ったのよ」

「は？」

「つまり、一億円で買ったの。ヨシトキには四〇億円で売ったんだから、三九億円が丸儲けってことよ」

「えーっ、どうしてこんなにいい会社が一億円なんですか⁉」

僕はもう一度決算書をひっくり返す。やっぱり、何度見ても、一億円しか価値のない会社には思えない。

「あのね、カッキー。その会社は、中堅スーパーのリストラ用子会社だったのよ」

「リストラ用？」

「そう。辞めてもらいたいスーパーの従業員を子会社に転籍させて、ものすごく過酷な運搬業務をさせる。すると、従業員は特別な退職金をもらわなくても次々と辞めていくんですって」

僕は眉《まゆ》をひそめた。ひどい話だ。でも違法じゃないし、会計的には理に適《かな》っている。

「あんまり気持ちのいい話ではないけれど……そして、親会社のスーパーは子会社を儲けさせる気がないから、利益のすべてを配当金、実質は上納金として徴収するの。この子会社は、単にそういう〝捨て会社〟だったのよ」

「……決算書だけだと、そういう会社もいい会社に見えてしまうんですね……」

「そうよ。決算書を見るのに、思い込みは禁物よ。数字だけじゃなくて、会社の声も聴かないと誤った見方をする危険があるんだから。わかった？」

「……はい、わかりました」

シュンとうなだれる僕を見て、萌さんがあわてて声をかけた。

「そんなに落ち込まないでよ。ヨシトキもアンタと同じように、優良会社だと勘違いして四〇億円も支払ったんだから」

「でも、僕は会計士補ですし……」

「これからもっと勉強していけばいいのよ。決算書なんて奥深い世界なんだし」

「それもそうですね。ちなみに、その〝捨て会社〟に残った従業員の方々はどうなっちゃうんですか？」

「オカマがかわいそうに思って、全員自分の会社で引き取ることにしたそうよ。いいヤツよね」

「それはよかったです……あ、でもそれじゃあ、そこの会社には従業員がいなくなって、仕事にならなくなっちゃいますね」

「そうよ。それでなくても親会社だったスーパーも自分の子会社から外れたんだから、仕事を回さなくなるでしょうしね。株の価値は一円もないんじゃない？」

「でも、それではヨシトキから訴えられないですか？『騙《だま》された！』って」

「間違いのない決算書を見て判断したんだから、それは自己責任よ。それに、裁判になったら資金の出所《でどころ》も調べられる可能性があるから、訴えたりしないと思うわ。ヨシトキは裁判所とは関わりたくないはずよ――」

自分がどういう会社を四〇億円で買ったのかまだ気づいていないヨシトキは、ひとまず海外に逃亡したそうだ。

彼が再び帰ってくる頃には、会社はもぬけの殻になっているだろう。

後鳥羽社長は手に入れた四〇億円のうち自分の出した一億一〇〇〇万円だけを回収し、残りはすべて日欧馬主会に投資した詐欺被害者へ配ったそうだ。

もちろん、和気さんも全額回収したらしい。

萌さんは、「ワケキヨみたいなその道のプロにまで配るなんて！　あいつらは自業自得なのに〜」と憤慨していたが。

エピローグ

萌さんと僕は、事務所近くにある喫茶店でランチを食べていた。

「今回はいろんなことがありましたね。まず僕が秘密の社長室を覗《のぞ》き見したら金庫を見つけちゃって、金庫の中には現金一億円があって」

「あのオカマ社長と会うことになるのよねぇ」

「萌さんが後鳥羽社長に教えてあげるんですよね。日欧馬主会の詐欺のことを」

「まあね～」

「そして、和気さんの事務所に行って日欧馬主会の正体をつかんで、『非上場株をヨシトキに売ってお金を回収すればいいじゃないですか』と僕が提案したんです。えっへん」

「……あのねえ、その程度で胸を張らないでよ。オカマが注文通りの非上場株を見つけて買ってくれなかったら、こんなにうまく行かなかったんだし」

「そうですね……後鳥羽社長はやっぱりすごい人ですね。被害者にお金を配ったことも、『ボクはいい事なんてひとつもした覚えはないわよ。今回の件もすべて〝投資〟なの。いつか〝利益〟になればそれでいいんだから』って……人としての器の違いを感じます」

「あのオカマ、ちょっとカッコイイところがあるから悔しいのよ。まあ今回は、〝株〟を使って〝株〟を上げた、って感じかしら」

「……そういう周囲を凍らせるような発言は控えてください。あっ、いま大事なことを思い出しました」

「なによ」

「そもそも、僕が後鳥羽運輸に実査に行っている間、萌さんは合コンに行っていましたよね。あれは、一体どういうつもりなんですか」

「そっ、それは……それも〝投資〟に決まっているじゃない！」

「その割には〝利益〟が出ていないみたいですけど。投資家失格ですね」

「アンタに言われたくないわよ。今晩こそは、きっといい出逢《であ》いがあるはず」

「今晩も合コンですか……萌さん、投資で大切なことを教えましょうか?」

「なによ」

「『投資は諦《あきら》め時も肝心』なんだそうです」

「余計なお世話よ!」


［2］有価証券とは、株券・手形・小切手といった、お金に換えることができる貴重な紙片のこと。

［3］企業の活動は年二回、半年ごとに確定させている。それが決算期末・中間決算期末である。そして、三月決算の上場企業なら三月末と九月末にそれぞれ「決算短信」「中間決算短信」を発表しなければならない。近年は四半期決算といって、さらに三ヵ月ごとに「四半期決算短信」を発表する必要がある。

［4］簿外現金とは、会計帳簿に載っていない現金のこと。裏金のことである。

［5］公認会計士の資格を持つ経営コンサルタント。以前、とある会社社長に株の売買詐欺を持ちかけ、主人公たちに看破されたことがある。『女子大生会計士の事件簿DX.

1』収録「監査ファイル2」参照。

［6］二〇〇六年五月に施行された会社法により、それまで資本金一〇〇〇万円を必要としてきた最低資本金制度が廃止されたため、資本金が一円からでも株式会社を設立することができるようになった。この作品の執筆時点は、旧商法下の二〇〇三年である。

［7］減価償却とは、固定資産が消耗していくにつれて、毎年資産の金額を減らして費用を発生させること。元が取れるまで使用すれば、資産価値はゼロになる。

なかがき対談

女子大生会計士シリーズ初の文庫オリジナル[1]ということで、山田真哉と本書の担当部署である、角川書店第二編集部の編集長が対談をしました。

山田　『女子大生会計士の事件簿』という作品は、ビジネス書として書いていたので、文芸書としては自信がなかったんですよ。

編集長　でも、いわゆる業界ミステリーと考えれば、実はシンプルなエンターテインメントなんじゃないでしょうか。

山田　**マイナーな**業界ミステリーかも（笑）。シンプルというのは当たっています。

編集長　そうなんですか。

山田　銀行とか、医療とか、ある意味メジャーな業界とは違って、会計士の世界は、はっきり言って知られていないので、シンプルにせざるをえないんです。

編集長　このシリーズこそ、最高の業界案内ですが、普通は、まだまだ未知の世界なんでしょうか。

山田　このシリーズをはじめた六年前は、特にそうだったと思います。「会計士」のイメージって、何歳くらいだと思いますか？

編集長　それなりに年配で落ち着いた歳。五十歳代でしょうか。

山田　「税理士」ならそれは正しいかもしれません。[II]でも、「会計士」の平均年齢はもっと若くて四十歳代と言われています。人数でいえば、二十・三十歳代が一番多い。このイメージのギャップが、女子大生会計士というタイトルを思いつかせてくれたんです。

編集長　そういえば「税理士」と「会計士」の区別も怪しいかも（笑）。それでも、善くも悪くもイメージがあるくらいですから、普通に生活していて「会計士」という職業名を目にする機会はあるんですよね。

山田　「落語家」に似ているかもしれません。テレビなどで「落語家」は目にしているし、落語を知っている気になっている。でも、実際に高座《こうざ》で「目黒のさんま」とか「時そば」を聞いたことがあるかというと……。

編集長　昔からあるのに、なかなか本当のところには出会わないという、美味《おい》しい（？）

ポジションの業界なんですね。

山田　ですから、必要なことは、変なイメージをつけない、変にいじらないことだと思うんです。まずは、業界そのものに興味を持ってもらわなければいけない。そのためには世界を広げちゃいけないし、主人公たちも積極的に外に出てはいけない。そうしないと業界そのものに親近感を感じてもらえない。

編集長　カッキーと萌実も、監査には行きますが、確かに、犯人を追っかけたりしません。

山田　基本、騙《だま》す側とそれを見抜く側というスタイルなので、ハデに動き回る話はそもそもやりづらいんですが、それよりも、複雑にしすぎて、純粋に楽しんでもらえなくなるのがイヤですね。

編集長　ミステリーでいう安楽椅子探偵。座ったままではなくとも、会議室と社長室をいったりきたりするだけということも（笑）。でも、この本に収録した何編かは、違いますよね。

山田　そうなんです。ここまでの二編でも、二人は監査を無視して、大阪に行き、競馬場にも乗り込みます。[Ⅲ]このあとの一編ではついに萌実が犯人と×××!!

編集長　はい、そこまで！　続きは、小説で（笑）。

山田　それでは、本書の成立事情をお話ししましょう。収録作のうち、「ヘアキハバラ会計士遁走曲《フーガ》〉事件」は角川書店の文芸誌「野性時代」に掲載したもの。「〈藤原萌実と謎のプレジデント〉事件」は、『世界一やさしい会計の本です』に、「〈逆粉飾の殺人〉事件」は『非常識会計学!』(石井和人氏と共著)に併録するため書き下ろしたもの。それぞれ分量は多めです。残りのうち「女子大生会計士、はじめました」は、本書のための書き下ろし、「〈萌実版　ヴェニスの商人〉事件」のみ、従来通りTACNEWS[IV]の掲載作です。

編集長　執筆にあたって、いままでのシリーズ作品と異なっていたことはなんですか?

山田　シリーズ作品は基本的に、TACNEWSの雑誌掲載だということ。世界を広げてしまうと、ひとつのネタで話がきちんと終わらない。いちおう、受験生向けの雑誌に載せるものですから。

編集長　その道を志す受験生向けとはいえ、やはりマイナー業界だけに配慮が(笑)。

山田　それに比べて、今回収録の作品は、長さも自由になりますし、より一般読者に近い人が最初に読む人だということもあって、ある程度制約を外して書いたという……おかげで、カッキーと萌実もかなりアグレッシブで、貴重な(?)アクションシーンも出てきます。

編集長　制約という点では、「〈逆粉飾の殺人〉事件」では、カッキーが語り手ではありませんし、「女子大生会計士、はじめました」は、そもそもカッキーが登場しません。
山田　「はじめました」はカッキーが事務所に入る前のエピソードですし、シリーズ初の殺人事件となると、カッキーがいない場面も必要になるので、自然とシリーズのスタイルが崩れているわけです。
編集長　結果として、会計入門、会計士業界入門というポイントは外さないものの、一層、エンターテインメント色が強いものが集まることになりました。
山田　いままでより奇想天外なエピソードが書けて楽しかったですね。

[Ⅰ]　既刊の四冊は、新書版が先に出版されている。本書は、角川文庫で初めて刊行される。
[Ⅱ]　税理士は、国税庁を退官してから事務所を開く人も多く、平均年齢は六十歳を超えるとも言われている。
[Ⅲ]　実は、本書に収録するにあたって、大幅改稿し、競馬場のシーンはカットされた。このカット部分は、将来的には、独立した監査ファイル（作品）になる予定。
[Ⅳ]　専門学校TACの月刊情報誌。文庫用の書き下ろしを除いて女子大生会計士シリーズは、すべてこの雑誌に掲載された作品である。

監査ファイル3

〈逆粉飾の殺人〉事件

――逆粉飾の話――

1

十月も半ばを過ぎ、監査法人はそろそろ繁忙期にさしかかってきた。多くのクライアントが、中間決算発表を迎えるためだ。

今年で会計士補二年目になる柿本一麻は、新聞を読みながらデスクで朝食をとっていた。昨夜も遅かったせいで寝坊してしまい、家で朝食をとってくる余裕がなかったのだ。

「アンタも好きね〜。よく朝っぱらからハンバーガーなんか食べられるわよね」

そう言ってドサリと隣の机にカバンを置いたのは、彼の上司である藤原萌実だ。あいかわらず派手な服装で、柿本は目がチカチカした。

だが、萌実はどれほど服装が派手でも、どれほど口が悪くても、上司からもクライアントからも許されてしまう。現役女子大生という看板や顔のかわいらしさもあるが、なによりも会計士として優秀だからだ。最年少で公認会計士二次試験に合格してのち、大学に通いながら監査法人に勤務して、いまではいくつもの企業の監査を任されている。

柿本も萌実の優秀さだけは尊敬していた。

「おはようございます、萌さん。今日はいつもより早いですね」

「まあねー。事務所の横にさ、エスプレッソ・カフェができたじゃない。そこでオシャレにモーニングコーヒーでも飲んでいたら、素敵な出会いがあるかな〜と思ってさ」

「はあ。それで、あったんですか」

「なに言ってんのよ。出会ってたら、こんなところにいるわけないじゃない。オヤジしかいないからさっさと出てきちゃったわよ」

萌実はそう言って柿本の新聞をとりあげると、おもむろに読みはじめた。しようがないので柿本はハンバーガー屋で買ってきた安いコーヒーをズズとすすった。

「そう言えば萌さん、昨日のテレビを見ましたか？」

「昨日〜〜？　昨日は別に面白いドラマなんかやっていなかったじゃない」

「ドラマじゃないですよ。深夜の人気番組〝トモエっちルーム〟ですよ」

「もう、またエッチな番組なんでしょう」

萌実は嫌そうな顔をして新聞から目をあげ、柿本を睨《にら》んだ。

「違います！　女子アナの旭日トモエが司会をしているトーク番組です！」

「あー、ゲストを呼んでいろいろ聞くやつね。知ってる、知ってる」

「昨日のゲストは、来週監査に行くキソープライムの源佳仲《みなもとよしなか》社長だったんですよ」

「ああ、それなら私もチラッとだけ見たわ。なかなかのイケメン社長だったじゃない」

「いいのはルックスだけじゃないんですよ。僕、感心しちゃいました。高校の勉強はつまらないからって中退して渡米、そこで世界トップレベルの半導体技術者になり、日本に帰って会社を設立。その会社があっという間に成長して、今年初めに株式公開、なんと個人資産が三〇〇億円だそうです。ほんと、あこがれますよねー」

「そうね～、あこがれるわね。三〇〇億円もなにに使おうかしら～」

「……なに玉の輿《こし》に乗る気でいるんですか」

「だって、これからどうなるかわかんないじゃない。源社長って独身なんでしょう？　私にだってチャンスはあるわ。たとえば、監査をしていると、彼が部屋にフラリとやって来て私に一目惚《ぼ》れするの。そして、『萌実、俺のことを個人的に監査してくれないか？』って言っちゃったりして……キャ〜、照れる〜」

「聞いているこっちのほうが照れますよ……」

いずれにせよ、来週はほとんどキソープライムでの作業になる。できるだけ、たまっている事務処理を片づけてしまうほうがいい。

柿本は、コーヒーを飲みきるとノートパソコンの電源を入れた。

2

翌週の月曜日。

柿本と萌実、そして代表社員の山上《やまがみ》は、都心の繁華街近くにあるキソープライム本社ビルに赴いた。

キソープライムは半導体や計測機器の開発・製造・販売までを行う会社で、通信用半導体を得意とし、ここ数年で急成長を遂げている。今年の初めには株式公開を果たし、株価も上昇を続け、名実共にベンチャー企業の雄となっていた。

山上は上場前からキソープライムを担当していたが、柿本も萌実もここへ来るのは初めてだった。六階建てのビルに入り、一階にある受付の電話で山上が経理部に連絡すると、さわやかな感じの若い男性が迎えに来た。

どう見ても二十代半ば。おそらく経理部の若手社員だろうと柿本は思った。

「おはようございます、山上さん」

「ああ、おはよう、今井くん。今回もまたよろしく頼みますよ」

今年六十歳になる山上は、息子ほどの年齢の今井ににこやかに言った。今井は続いて柿本と萌実に挨拶《あいさつ》をした。

「はじめまして。お二人とも、ようこそいらっしゃいました。この会社の財務を担当しております、今井と申します」

差し出された名刺には、『取締役　最高財務責任者（CFO）　公認会計士　今井　平《たいら》』と書かれていて、柿本はギョッとした。萌実も驚嘆の声をあげる。

「へぇ～、随分と若いCFOなのね。もしかしたら、カッキーよりも若いんじゃない？」

「僕は今年で三十なんですけど、失礼ですが今井CFOはおいくつですか？」

「二十六歳ですよ」

「めっ、めちゃくちゃ若いんですね」

「ほんと、人間って差がつくのねぇ。一方はしがない監査スタッフで、もう一方は上場企業の取締役だなんて」

萌実に言われて、柿本は恥ずかしくなった。

「あはは、上場企業の取締役になれたのは偶然ですよ。会計士試験に受かったばかりの時に、フラフラしていたら源社長に拾われたんです。当時はまだ小さな会社でしたので、大手監査法人に就職なさった柿本さんのほうが、会計士としてはよほど優秀ですよ」

そう言って微笑む今井を見て、さわやかなのは見た目だけじゃなくて人柄もなんだな、と柿本は感心した。そんな柿本に萌実が耳打ちする。

「なんかイイ奴っぽいじゃない。社長がダメならこっちでもいいと思う？」

「そんなこと、僕に聞かないでください！　というか、萌さんはなにしに来ているんですか！」


今井に案内され、監査のために用意された部屋に入った。そして、しばらくすると帳簿などの財務資料が経理部員により大量に運び込まれた。

最新の事業計画書に月次試算表、生産実績資料、営業実績資料、取締役会議事録、各種台帳……これらの財務資料を眺めるだけで、あっという間に陽が暮れ、監査初日は終わってしまった。

「あ〜あ。結局、源社長は来てくれなかったわね。今日一日、ずっと待っていたのに〜」

シャーペンを放り投げながら、萌実がぼやいた。

「普段の監査だって、社長なんか滅多《めった》に来ないじゃないですか」

柿本はテーブル周りを片づけながら答えた。

「でも、副社長は様子を見に来たじゃない。えーっと、なんて名前だっけ？」

「中原さんですよ。でもあの方は山上さんに挨拶に来ただけじゃないですか」

六十過ぎの中原は、社内では〝頑固親父〟と呼ばれているそうだ。歳若い源社長や今井CFOにとって、百戦錬磨の中原は頼りになる存在らしい。

「歳が近いせいでしょうか。随分仲がよさそうでしたね」

「あー、あの二人は、いわば戦友だからねえ。ほら、お互い苦労しながら上場準備を乗り越えたわけだからさ。それにしても、山上さん、今日は一日中現場にいてくれるって言ってたのに、あのまま頑固親父と遊びに行っちゃうなんて、無責任よね～」

「遊びに行った、って決めつけるのも悪いですよ……」

「さてと、カッキー。事務所に戻らないといけないから、さっさと帰るわよ」

二人は荷物をまとめると、キソープライム本社をあとにした。

3

柿本と萌実は、夜の繁華街を抜けて駅までの道のりを歩いていた。

萌実は源社長に会えなかったことを、まだブツブツ言っていた。

「一目あったら、絶対恋に落ちると思うんだけどなぁ～」

「萌さんがですか？」

「まさか、源社長のほうがよ。私のあまりのかわいさに『君みたいな才色兼備な人を捜し求めていたんだよ』って、彼がメロメロになるの」

「……もう勝手に言っていてください……あれっ、あの人って、源社長に似ていませんか？」

柿本は、道路の向こう側を歩いている黒いスーツ姿の男性を指差した。

「うーん。横顔だけじゃ、よくわからないわねぇ。でも、あれは絶対違うわ」

「どうして断言できるんですか？」

「だって、綺麗《きれい》な女の人と一緒に歩いているじゃない。私の源社長は、私と出逢《であ》うまでは美人と一緒になんか歩かないのよ」

「いい加減にしてください。それにしても、あの綺麗な人もどこかで見たことあるような……あっ、あれは、あの！」

柿本は指差しながら興奮していた。

「あのって誰よ」

「『トモエっち』ですよ！　女子アナの旭日トモエ。うわー、資産三〇〇億の男と人気ナンバーワン女子アナの密会現場に遭遇しちゃいましたね。僕、トモエっちのこと好きだったのになあ……」

「……人気ナンバーワン女子アナって言ってもさぁ、客観的に見て私のほうがかわいくない？」

「なに言ってるんですか。それより、もっと近くに行って見てみましょうよ」

「そうね。私の源社長かどうか、ちゃんとたしかめなきゃ」

車が渋滞でノロノロ運転になったのを見計らって、柿本と萌実は道路の向こう側へ渡ろうとした。そのとき、消防車が近づいてくる音がした。

ウーゥ　ウーゥ　ウーゥ　カンカンカン　ウーゥ　ウーゥ　ウーゥ　カンカンカン

あっという間に、ものすごい数の消防車がやってきた。

「えっ、この近くで火事なの⁉」

「どうやらそのようですね……。僕らが来た方向から煙が上がっていますよ」

「ほんとだー。まさかキソープライムのビルじゃないでしょうね——あーっ⁉」

「どうしたんですか⁉」

「源社長と女子アナを見失ったわ……」

「あっ、ほんとですね」

「あー、もう気分が悪いから、今日は直帰《ちょっき》するわよ」

「事務所に戻るって言ったのは、萌さんじゃないですか……」

結局、柿本は萌実と駅で別れ、そのまま自宅へと帰った。

4

翌朝。

柿本がキソープライムの本社に向かうと、遠目にもビルは黒こげの状態であるのがわかった。

「本当にキソープライムが火事だったのか……」

危なかった。あと少しビルを出るのが遅れていたら、どうなっただろう。

近づくと、どうやら五階部分を中心に火災が起こったようである。本社の下には黒山の人だかりができており、警官がテープを張ってビルの中に入ることを防いでいた。

「うわっ、これじゃ中に入れないな……ということは営業停止かな。あっ、萌さん」

萌実はいつになく青ざめた様子で、テープの内側を見つめていた。

「萌さん、すごいことになっていますね。それにしても、火事ってこんなに警官が出てくるものなんですね」

「アンタ、ニュースを見ていないの？　人が一人死んだのよ」

「えっ⁉」

「……中原さんよ。副社長の」

「中原さん……⁉　昨日会ったばかりじゃないですか……！」

柿本はそう言ったきり絶句した。

「人の命は、はかないわね」

萌実が視線を下げて言う。

「一人だけということは、かわいそうに逃げ遅れてしまったんですね……」

「――カッキー、ちょっと耳を貸して」

　萌実は声を落として言った。

「あのね、捜査官の会話を立ち聞きしたんだけど、どうやら中原さんは逃げ遅れたわけじゃないらしいの」

「と言いますと……」

「殺されたのよ。誰かが殺したあとに火を放った、ということね」

「殺された……!?」

　そのとき、捜査官の一人が声を張り上げた。

「すみません。こちらに公認会計士の山上さんという方はいらっしゃいませんか」

　萌実と柿本はビクッとした。

　すると、二人の背後から声があがった。

「山上はワシだが……」

「や、山上さん、いたの！」

「ああ、いま着いたところだよ」

　捜査官が歩いてきて山上に警察手帳を見せた。

「死亡した中原さんと昨日ご一緒だったそうですね？」

「あ、ああ。どうしてワシがここにいると？」

「秘書の方に電話でうかがいました。少しお話をうかがいたいのですが、署までご同行願えますか？」

「……わかった」

山上はそう言うと、捜査官と車のほうに歩いていった。

「カッキー、私たちも一緒に行くわよ！」

萌実が柿本の腕を引いた。

「ど、どうしてですか？」

「山上さんが警察に連れて行かれようとしているのよ!?　放っておけないじゃない」

萌実は走って行くと、二人が乗り込んだパトカーのボンネットをバンバン叩《たた》いた。

「ちょっと待って、私たちも重要参考人よ！」

重要参考人は言い過ぎじゃないですか、と柿本は突っ込みたかったが、結局そのまま一緒にパトカーに乗り込む羽目になった。

5

警察署に着くと、三人は会議室風の部屋に連れて行かれた。

「あっ、今井CFO。それに……源社長⁉」

柿本は驚きの声をあげた。部屋には先客が三名いたのだ。キソープライムCFOの今井と、社長の源。それともう一人。

「樋口《ひぐち》くん……きみも呼ばれたのかね」

山上が声をかけると、樋口と呼ばれた男が青い顔でうなずく。

誰だろうと柿本が思っていると、キソープライムの営業部長であり、死んだ中原の腹心の部下だったのだと、山上が説明してくれた。

部屋に刑事たちが入ってきた。全員が席につくと、定年間近と見える老刑事が白髪の混じった頭をポリポリとかきながら口を開いた。

「あー、刑事の斉藤といいます。お忙しい中、すみませんですなあ。こうしてみなさんに集まっていただいたのは、他でもない、中原副社長殺害の件についておうかがいしたいのです」

「えっ、副社長は殺されたんですか！」

大きな声をあげたのは、樋口である。

「おそらくそうですなあ。なにせ中原副社長の頭部には、大きな損傷がありまして。司法解剖を待たないと詳しいことはわかりませんが、死因は一酸化炭素中毒や火傷《やけど》などではないでしょう。我々は、この件を殺人事件と考えています」

斉藤刑事の言葉に、柿本と萌実以外の者が愕然《がくぜん》とする。

「火災も普通の火災じゃあないんですよ。ガソリンがまかれていたので、火の回りが早かったんです。あー、それでは、火災が発生したと思われる午後七時頃、みなさんがどちらにいらしたか教えていただけますかな？」

斉藤刑事の質問に、最初に返事をしたのは萌実だった。

「私と柿本は、キソープライム本社を出て駅に行く途中だったわ」

次に樋口が答えた。

「私は二階の営業部で仕事をしておりました……もちろん、周りには部下が大勢いました」

残りの三人は黙ったままである。

「あー、他の方は思い出せないのですかな？」

斉藤刑事の言葉に、今井が口を開いた。

「私は出先から本社に戻る途中でした……証明できる人はおりませんが」

次いで、山上が答えた。

「ワシはコーヒーを買いに外へ出ていた」

「——山上さんには、火災直前に副社長室から出て行くところを見た、という目撃証言もあるのですが……それは事実ですかな？」

柿本の心臓が一瞬止まった。

「……事実だ。七時前までワシは中原さんと二人で副社長室にいた」

「そうですか。ありがとうございます」

斉藤刑事がそれ以上追及しなかったので、柿本はひとまずホッとした。横で萌実も小さな息を吐いていた。

「あー、それでは最後は源社長ですが？」

「ビルの周りを散歩していた」

「ほう、お散歩ですか」

「ああ」

「あんな繁華街を？」

「……そうだ」

「わかりました。ところで源社長、あなたが三年前に上場企業の取締役から引き抜いた人物が、今回亡くなられた中原副社長だったそうですなあ。年若いあなたを補佐する経営指南役として呼んだはいいが、最近では結構対立していたらしいじゃないですか」

「た、たしかに対立することもあったが、死んでほしいと思ったことは一度もない！　なんだかんだ言っても、俺は中原を頼りにしていたんだ……！」

「そうですか……もう一度確認しますが、あなたは七時頃は街で散歩をしていた。そして、あなたの行動を証明できる人は誰もいない、ということですかなあ？」

「……そういうことだ」

「待って！」

萌実が声をあげた。

「私と柿本は、繁華街で源社長が歩いているところを見かけたわよ。ねぇ、カッキー」

「はい、源社長がアナウンサーの旭日トモエと一緒に歩いているところをたしかに見ました！」

源社長は〝旭日トモエ〟という名前に一瞬顔をしかめた。

「あー、そうですか、あの有名な女子アナウンサーとご一緒でしたか。でしたら、彼女にもたしかめてみることにしますよ……。今日のところはこれで結構です。ありがとうございました。また、いろいろと話を聞かせてください」

斉藤刑事の言葉で、その場は散会となった。

6

二日後の木曜日。

火災のあった本社ビルから歩いて十分ほど離れた高層ビルのワンフロアで、キソープライムの営業が再開された。

もともと来年春にここに移転する計画があったのを、前倒ししたのである。

柿本と萌実も、新しい本社で監査を再開することになった。

「うーん……よくわからないのよねぇ……」

監査のために用意された部屋の中を、萌実がウロウロしている。

「いったいなにをブツブツ言っているんですか」

「動機があるのは意見が対立していた源社長でしょう。直前まで一緒にいたのがうちの山上さん。アリバイがないのはCFOのイマピー……うーん、みんな怪しいような怪しくないような……」

萌実には勝手にあだ名をつける癖がある。今井のことは、さっそく〝イマピー〟と呼ぶことにしたらしい。

「萌さん、もう探偵ごっこはやめてください」

「えー」

「さっきもいろんな部署に行って、聞き込みをしていたでしょう。いくら監査人《かんさにん》は社内中にヒアリングできるからって、これは越権行為ですよ。早く仕事をはじめましょう！　二日分も押しているんですから、遊んでいる暇はないんですよ」

「でも、中原副社長は私生活ではまったくトラブルがなくて、恨みに思われるようなこともないっていうじゃない。ということは、犯人は仕事の関係者ってことでしょう。オチオチ監査なんてしていられないわ」

「そうかもしれませんが、犯人を捜すのは警察の仕事ですよ。素人が余計なことをすると怒られるんじゃないですか」

「ぶう〜」

萌実が憮然《ぶぜん》としていると、山上が部屋に入ってきた。

「二人とも、おはよう」

「山上さん、最後に副社長に会った時のことをちゃんと教えてよ！」

「萌さん、だからもう探偵ごっこはやめましょうよ〜」

「気になって仕事に手がつかないの！　お願いだから、山上さ〜ん」

　山上はヤレヤレという顔をした。

「仕方がない。萌実くんもこの会社の主査になったのだから、社内事情を知る権利はあるかもしれないな」

「ありがとう！　山上さん」

　山上は席に座って話しはじめた。

「あの日、私は副社長室でちょっと不思議なことを言われたのだ」

「不思議なこと？」

「実は、キソープライムは以前から在庫売上が計上されていたのだ。それも期末で一億円ほどのな」

　在庫売上とは、在庫として保有しているけれども、売上が計上された状態のことをいう。本来は、商品を出荷したり引渡したりした時点で売上が計上されるべきなので、あまり望ましい状態ではない。

「売上のタイミングの問題ね。期ズレにしちゃ、けっこう多額じゃない。山上さんはそれをOKしていたの？」

「ああ。本来なら、売上として認めるかどうか微妙だが、お得意先が製造の都合で受け取ってくれないから預かっていた、という事情もあったしな。ところが、副社長が突然、今年から売上に計上しないようにする、と言い出したのだ」

「どうしてそんなことを？　そりゃ、監査法人としては透明になって嬉《うれ》しいけど、キソープライムは一億円の減収になるじゃない」

「その通りだ。私も不思議に思って尋ねたのだが、『それは今井CFOに聞いてくれ』の一点張りだったのだよ」

「ふうん……今年は他に大幅な増収要因でもあるのかしら？」

「いや、ワシはなにも聞いておらんが」

山上は首を横に振った。

そのとき、当の今井が監査資料を抱えて部屋に入ってきたので、山上が確認してみた。

「ああ、それは私が決めたことなのです。やはり、在庫売上は本来あるべきものではないですからね。どこかで一度整理しないと、ズルズルと引きずってしまうことになりますから」

今井から返ってきたのは、しごくまっとうな答えだった。もちろん、理論上はそうなのだが、なかなかそうできないのが経営だ。どうしても目先の売上を優先してしまう。

しかし、監査法人が反対するのも変な話なので、結局この件はそれで了承されることになった。


夕方。

柿本は窓から差し込む夕陽を背に、大きく伸びをした。萌実もつられたように、首をコキコキと動かす。山上は昼過ぎに別の監査先へ行ってしまった。

「萌さん、今日はこの辺りでおしまいですか?」

「なに言ってんの〜。今日は残業に決まってるじゃない」

「でも……」

「でももへったくれもないの……アレッ、私の電話が鳴ってる。やだなー、またなにか仕事を押しつけられるのかしら」

萌実が机の上に置いてあった仕事用の携帯電話に手を伸ばした。

「もしもし……えっ、ほんと……うん、わかったわ。七時に六本木ヒルズでいいのね。ありがとう」

「萌さん、事務所からですか?」

「うん、伝言だったんだけど、誰からだと思う？」

「いきなりクイズを出されても知りませんよ」

「人気ナンバーワン女子アナの旭日トモエからよ」

「えーっ⁉」

「今晩、会いたいって。いったいなんの用かな〜、私を女子アナにスカウトする気かしら？　そうよ、きっと私はこれをきっかけに芸能界デビューさせられる運命なんだわ……」

「そんなボケをかましている場合じゃないですよ。どうして旭日トモエが萌さんの存在を知っているんですか？　僕らは彼女を見かけたことがありますけど……」

「そうね……考えられるのはひとつ。源社長が彼女に伝えたのよ。そして、彼女がアクションを起こした。このことは、どうやら中原さんの事件に関係がありそうね……」

7

六本木ヒルズの広場で、柿本と萌実は旭日トモエを待っていた。

「やっぱり女子アナともなると、青年実業家をゲットするのね〜……金目当てかしら」

「やめてください！　萌さんじゃないんですから、僕のトモエっちはそんな人じゃありません！」

「いつからあんたのトモエっちになったのよ……」

するとサングラスをかけて帽子をかぶった女性が歩いてきた。サングラスを下にズラして辺りを見回している。

「萌さん。あの人、旭日トモエっぽくないですか？」

「そう言われると、そんな気もするわね。カッキー、アンタ声をかけてきなさい」

柿本は言われたとおり、彼女に近寄ると声をかけた。

「あのぅ……人違いだったら申し訳ないんですが、女子アナの旭日トモエさんですよね？」

「いつも見てくださっているんですね。応援ありがとうございます」

「い、いえ、そうじゃなくて、僕は柿本という会計士補なんですけど……」

「えっ、会計士さん？　では藤原さんという方は？」

「あそこにいるのが上司の藤原です」

柿本は萌実を指差した。

「えっ、あの女子大生みたいな人が公認会計士なんですか？」

「女子大生みたいじゃなくて、実際に女子大生なんです……」

「まあ、そうですか。これは、取材のしがいがありそうですね」

「えっ、取材だったんですか!?」

「そうですよ。いろいろとお話を聞かせてくださいね」

　トモエはそう言って微笑んだ。


　三人は麻布《あざぶ》に移動し、和風レストランの個室で話をすることにした。

「一応聞いておくけど、どうして私のことを知っているの？　トモエっち」

「それは源社長からのご紹介です。私が、昨今話題の会計士について取材しようと思っていたところ、優秀な人がいるよ、と社長があなたのことを教えてくださったのです」

「まあね〜、私ほどテレビにふさわしい会計士なんていないしね〜」

「あの〜、旭日さん。下世話な質問で悪いんですが、源社長とのご関係は……」

　柿本が話に割って入る。

「友人ですよ。よく飲み会とかで一緒になるんです」

「あー、そうなんですか。いやー、ホッとしました」

　柿本は胸をなでおろした。

「なんで、アンタがホッとしなきゃいけないのよ」

横にいた萌実が柿本の頭をはたいた。

「それではさっそく取材に入りたいのですが……」

二人の様子を見て笑っていたトモエが、切り出した。

しかし、今度は萌実のほうが笑いだした。

「あはは。トモエっち、小芝居はいいわよ。あなたは源社長の命令でここに来たんでしょう」

「えっ⁉」

柿本は驚いた。トモエも言葉を失っている。

「私になにを聞きたいの？」

「私は……」

トモエは声を詰まらせた。

「私は、たしかに源社長に言われてあなたに会いに来ました。でも、これは私の意思でもあります」

「どういうことなの？」

「いま、源は中原副社長殺害の疑いをかけられています。でも、源はまったく身に覚えのないことだと言うのです。しかし疑いを晴らそうにも、社内の誰かが真犯人なのではないかと思うと、社員に頼ることはできません。だから、あなたの——あなたがたのお力をお借りしたいのです」

「なるほどね。それで、具体的にはどうして欲しいの？」

「あなたがたの捜査状況を教えてもらいたいのです」

「捜査状況!?」

柿本は声をあげた。別に事件の捜査をしている覚えはないが……。

「なんでも、社内中に聞き込みをなさっているそうですね。警察だけでなく、あなたがたも捜査に動いているのは、なにか知っていらっしゃるからなのではないかと……」

柿本と萌実は顔を見合わせた。

「だから探偵ごっこはやめてくださいって言ったんです」

「だって、こんなことになるなんて思わないじゃない」

小声でボソボソやっている二人に、トモエは首をかしげる。

「あの……？」

柿本は思い切ってトモエのことを見た。

「旭日さん、実は藤原が聞き込みをしていたのは、別になにかをつかんでいたからじゃないんです。単なる趣味というか病気みたいなものでして……」

「カッキー、余計なことを言わないの！　……でも、私たちがなにも知らないのは事実よ。頼りにしてくれたのに申し訳ないけど」

「そうですか……」

トモエは残念そうに言った。

「でも、もしなにかわかったことがあったら、必ずあなたに連絡をするわ」

萌実はそう約束をした。

8

翌日、金曜日。今日が監査最終日だったが、柿本、萌実とも大量にやることが残っており、二人は大急ぎで仕事をこなしていた。

取引の流れの確認、在庫管理の様子、売掛金《うりかけきん》の回収状況、火災による損失額の後発事象《こうはつじしょう》注記、新本社への移転費用……チェックすべき項目は山のようにあった。

その戦場のような監査部屋を、夕方、今井が訪れた。

「藤原さん、出来立てほやほやの中間決算短信と今年度の決算見込みの数字を持ってきたんですけど……どうやらお忙しいようですね。ここに置いておきますから、あとで見ておいてくださいね」

そう言うと、会議机の端に数枚の書類を置いた。

「悪いわね、イマピー」

萌実が帳簿に目を向けたまま答える。

それでは、と出て行こうとする今井を、萌実は顔を上げて呼び止めた。

「ちょっと待って、イマピー。ついでに聞いておくけど、なにか決算にあたっての相談事項とかはある?」

「そうですね……今回の決算というよりは期末決算の話になるのですが、これまでに買収した子会社株式の評価を見直そうと思っています。いくつか業績回復が見込めないところがあるので、そういう会社は全部評価損を出そうと思っているんです」

「へー、意外ね。そんなに積極的に損失を表面化させようとするなんて」

萌実は首をひねった。柿本も同感である。在庫売上の件もあるし、そんなにどんどん損失を出していいのだろうか。

「キソープライムもいまや上場企業ですからね。株主のためにも、情報公開は積極的にしようと思っているんです。それがCFOの役目なんでしょう、藤原さん?」

「まあ……そうだけど。源社長もそれで了解しているわけ？」

「当然です——と言いますか、社長は財務に関しては僕任せなので」

「ふうーん……ならいいけど」

萌実は腑《ふ》に落ちないような表情をしていたが、柿本は感動していた。

「今井ＣＦＯは、よほど源社長から信頼されているのですね」

「え？」

「だって、そうでしょう？　たとえ正論でも、損失を表面化させるなんて、なかなか社長としてウンと言えるものではありません。それが言えるのは、今井ＣＦＯの言う通りにしていれば大丈夫、という信頼があるからだと思います」

「……」

「やはり、長い間、苦労をともにしてきた関係が信頼を作るのですね」

そう言って柿本が微笑むと、今井は視線を下げて、フッと笑った。

「……そうですね。私と社長は、ながぁい、つきあいですからね」

その笑みが暗い色を帯びているような気がして、柿本はなにか失礼なことを言っただろうかと心配になってしまった。

夜十時過ぎ。

ようやく仕事の目途がついた萌実が、今井の置いていった〝今年度決算見込み〟に、やっと目を通しはじめた。

書類を読み進めるうちに、疲労困憊《こんぱい》でどんよりしていた萌実の目が険しくなってきた。

「どうしたんですか、萌さん？　早く帰りましょうよ、いまから事務所に戻ったら、帰りは終電ギリギリですよ」

「――ちょっと待って。なんだか期末決算の見込みが異常なのよ」

「異常ってなにがですか？」

「さっきイマピーが言っていた通り、子会社株式の評価損を出しているんだけど、損失額の合計が二〇億円にもなるのよ」

「二〇億円!?　だって、この会社の最終利益はたしか五億円くらいですよね」

「そうよ。過去四年間ずっと黒字だったからこそ、新規上場企業の中でも抜群の人気を誇っていたのに。これじゃ上場直後の赤字ということで人気急落、投資家から総スカンをくらうじゃない……これって、本気かしら？」

「在庫売上の話といい……膿《うみ》を出すにしても、性急すぎる気がしますね」

「そうね……とにかく、この決算見込みが本当なら、業績修正になるからあわただしくなるわね。とりあえず、この子会社たちの資料だけでももらって帰りましょうか」

萌実が今井に電話をすると、彼はすでに退社していた。そこで彼の部下の経理部員に子会社関連の資料を持ってくるように頼んだ。

しかし、しばらくして、どこにも見当たらないと連絡が入った。どうやら火事の時に消失したらしい、とのことであった。

萌実は電話を切ったあと、しばらく考え込んでいた。

「萌さん、どうします？　具体的な資料がないとなると」

「新しく資料を作ってもらうしかないわね……あっ、再来週ってキソープライムの往査だっけ？」

「そうですよ。二人で事業所めぐりをするんじゃないですか。五日間で、都内の各事業所・研究所を全部回るんですよ」

「う〜ん。それをキャンセルして子会社往査に変えられないかな」

「えっ」

「直接、自分の目で子会社の状況をたしかめたほうがいいじゃない」

「たしかにそのほうが確実ですけど……先方の都合というものもありますし」

「非常事態なのよ！」

萌実は一度言い出すと聞かないので、柿本は説得をあきらめた。

「それで、萌さんはどこの子会社に行きたいんですか？」

「そうねー、今回評価損の対象になっている子会社は秋田・栃木・浜松《はままつ》の三つなんだけど
――やっぱり浜松かしら」

「……寒そうな場所を避けましたね」

「ち、違うわよ。浜松の会社がなんとなーく怪しいっていう天のお告げが……」

「なんとなく、ってなんですか、その適当な天のお告げは」

萌実はさっそく経理部に電話して、再来週の往査の変更を伝えた。

「……そう、月曜、火曜の予定でね。できれば今井さんにも来てほしいって伝えておいて。あと、キソープライムのあらゆることについて一番詳しい人にも一緒に来てほしいの。よろしくねっ」

萌実は言うだけ言うと、電話を一方的に切った。

「キソープライムについて一番詳しい人、ってどういうことなんですか？」

柿本が尋ねた。

「別に深い意味はないわよ。ただ、どうせなら話がたくさんできる人と一緒に行ったほうが楽しいじゃない。そうだ、あの人も呼ばなくっちゃね！」

9

十一月上旬。

東京駅の待ち合わせ広場に柿本が着くと、そこにはすでに萌実と一人の男性がいた。

「遅いわよ、カッキー」

「すみません。それでこちらの方は……」

「キソープライム社長室長の落合くんよ」

ペコリと頭を下げたのは、今井と同じように三十歳手前に見える若い青年であった。どちらにしろ、萌実より年上と思われるのだが、萌実は構わず「くん」づけで呼んでいた。

柿本は、なるほど彼が〝キソープライムについて一番詳しい人〟なのかと思った。たしかに、社長室長ならいろいろな事情に詳しいだろう。

「はじめまして、柿本と申します。それにしても、お若いのに社長室長とはすごいですね」

「いやー、室長って言っても部下はいないんっすよ。俺は社長の弟分みたいなモンだから、ひいきにされているだけだし」

「源社長の弟分、なんですか？」

「昔からの幼馴染《おさななじ》みなんっすよ。田舎が同じで」

「田舎はどちらなんですか？」

「長野県の木曽《きそ》というところなんっすよ。聞いたことないでしょう」

「す、すみません、ないです。……あっ、もしかしてキソープライムの〝キソー〟って木曽のことなんですか？」

「そうっすよ」

「なるほど、気がつきませんでした。意外と安易なネーミングなんですね」

「えっ？」

「い、いや……きっと、いいところなんでしょうね」

「すっごい田舎っすよ。俺も社長もめったに帰らないっすからね」

「ふーん。どうしてなの？」

萌実が会話に加わった。

「えっ、それは、えーっと……やっぱり交通の便が不便だからっすかねぇ、はっ、はっ、は……それより、あとは誰が一緒なんですか、藤原先生？」

落合が訊《き》くと、萌実は辺りを見回した。

「もうすぐ来るはずなんだけど、遅いわね〜」

「あとは今井CFOですよね、萌さん」

「イマピーは来ないわよ。一日だけでも来てほしかったんだけど、ちょうど有給とって田舎に帰る予定なんだって。誰かさんとは大違いね」

萌実がチロリと視線を向けると、落合は苦笑した。

「なんでもお母さんの命日に、お墓参りをするんだってさ」

「そうなんですか。今井さんはまだ若いのにお母さんを亡くされていたんですね」

柿本がしんみりと言う。

「ご両親ともお亡くなりになっているみたいよ。学校に行くのにも苦労したでしょうに、会計士試験に受かって、いまや上場企業の取締役なんだから偉いわよね〜……あっ、最後の一人が来たわ」

三人の傍に綺麗《きれい》な女性が近づいてきた。

「こんにちは。藤原さん、柿本さん」

「旭日さんじゃないですか！」

柿本は驚きの声をあげた。

落合も思いがけない有名女子アナの登場に目を丸くしている。

「私が呼んだのよ」

萌実が胸を張った。

「旭日さん、すみません。うちの上司のわがままで」

柿本があやまると、トモエは首を横に振った。

「いいえ。ちょうどこの時期にとっても遅い夏休みを取っていたので、大丈夫なんですよ。私でお役に立てることがあるなら、頑張りますわ」

トモエはにっこりと微笑んだ。

柿本は、なぜ萌実はトモエを呼んだのだろう、と思った。

トモエが〝役に立ちたい〟のは、源社長の殺害容疑を晴らすことだろう。しかし、これから行く浜松出張の目的は、評価損発生の理由を探ることにある。

萌実はこのふたつになんらかの関連性があると考えているのだろうか。

「カッキー、なにしてんの、行くわよ。九時の新幹線なんだから」

「あっ、すみません」

柿本はあわてて、先を歩いている萌実たちのあとを追った。

新幹線の中。

柿本は落合と隣同士に座ったが、落合が雑誌を読みはじめたので、聞くともなしに、通路を挟んで座っている萌実とトモヱの会話に耳を傾けた。

「それで、トモヱっちはいつから源社長とつきあっているの?」

「私が学生時代アメリカに留学したときに知り合ったので、もう八年になります」

「えーっ、旭日さんと源社長はやっぱりつきあっていたんですか!?」

思わず柿本は口を挟んでしまった。

「なによカッキー、横からうるさいわねぇ。つきあっているに決まってるじゃない。そうじゃなきゃ、わざわざ社長のために浜松まで来ないわよ」

「そうですか……」

柿本はガックリと肩を落とした。

「もうカッキーったら、落ち込まないでよ。それにしても、トモヱっち、よく私たちについてくる気になったわね。必ずしも、社長の無実が晴らされるというわけではないのよ。あなたの望まない真実がそこにはあるかもしれないわ、その辺の覚悟はできている?」

萌実がそう言うと、トモヱは意外なことを聞いたというように目を見開いた。

「ええ、大丈夫です――というか、私は彼のことを信じていますもの。ふふ、だてに八年もつきあっていませんわ」

「へえー、あなたと社長の間には思ったよりも強い絆《きずな》があるのね。女子アナとIT社長の浮かれたつきあいなんて思っていて悪かったわ。それじゃ、出逢《であ》ったときの話とか聞かせてよ――」

トモエは萌実の暴言に気を悪くした風もなく、少し照れくさそうに話しはじめた。

出逢いはアメリカのシリコンバレー。四歳年上の源佳仲は、すでにシリコンバレーで半導体の有能な技術者として名を上げていた。留学期間が終了したトモエとともに源も帰国し、キソープライムの前身となる会社を設立した。その後、トモエも女子アナウンサーという多忙な仕事に就いたため、会える時間は減ったが、つきあい自体は続いている――。

「いろいろ聞かせてくれてありがと、トモエっち。ちょっと訊くけど、源社長の田舎である木曾には行ったことある？」

「いいえ、ありませんわ……きっと、まだ私をご両親に会わせる段階じゃないと思っているんでしょうね……」

「それは、人それぞれだから気にしないほうがいいわよ。じゃあ、源社長が田舎に帰ったっていう話は聞いたことある？」

「そう言われると、一度もありません。ずっと忙しい人だから……なかなか帰れないんだと思います」

「そう、ありがと」

柿本は横で聞いていて、八年ものあいだ一度も田舎に帰った気配がないなんて、少しおかしいと思った。よほど両親と仲が悪いのか……。

柿本は萌実の様子をうかがったが、なにか考え込んでしまったその表情からは、なにも読み取ることができなかった。

四人は十一時過ぎに浜松駅に到着した。

出口に向かう途中、萌実が柿本に耳打ちした。

「カッキー。アンタ、落合くんをよくマークしていてね」

「どうしてですか？」

「私はトモエっちをマークするから。どうも二人の話を聞いていると、源社長の過去になにかありそうな気がするのよね」

「木曾にはあまり帰らないというやつですね」

「そうよ。中原副社長殺害の件といい、異常な決算の数字といい、キソープライムの裏にはなにかあるわ。そして、それには、源社長の過去が関わっているんじゃないかと思うの」

「どうしてそう思うんですか？」

「それは今度話すわ……とにかく、いま、私が考えていることが合っているかどうかたしかめるには、源社長の経歴というか、過去について知る必要があるの。トモエっちには、その情報源として来てもらったのよ。本人には単に人手が足りないからって言ってあるけど」

「わかりました、じゃあ僕は落合さんの言動に注意します……本当は、探偵ごっこなんてやめましょう、と言いたいところですが、監査にも関わってくるのでは、仕方ありませんね」

「そういうこと。じゃあ、夕食はアンタと落合くんの二人で行って、いろいろ話を聞いてきてね。私はトモエっちと行くから」

萌実はそう言うと、先に進んでいたトモエたちのもとへ駆け寄った。

10

浜松にはキソープライム傘下の半導体製造会社があった。

さっそく責任者にこの会社の収益状況、今後の見通しなどを聞くと、思わぬ答えが返ってきた。

「受注がコンスタントに入ってきてますから、今後の見通しは明るいですよ。機械装置の多額な減価償却も、定率法なもんでだいぶ減ってきて、利益が出やすい体質になってますし。これまでの累積損失は来年には一掃できそうです」

「本当？　親会社の報告では、あなたたちの会社は『業績も低調で、見通しも良くない』ってなってたんだけど」

萌実が質問する。

「それは、たしかに数年前まではそうでしたよ。でも最近ではパソコンや携帯電話だけでなく、薄型テレビなどのデジタル家電にも半導体が使われはじめていますからね。だいぶ見通しはいいですよ」

そのあと、柿本と萌実は手分けして財務資料を調べたが、この責任者の発言に間違いはないようであった。


ホテルに戻った萌実は、トモエと二人で入ったレストランで頭を抱えていた。柿本と落合は、外に飲みに行っている。

「一体どういうことなのよ……業績がいいはずの子会社の評価額を落とすなんて……。単なるミスとも思えないし、これじゃまるで逆粉飾[8]じゃない。保守主義にしてもちょっと行き過ぎだわ」

「あの、藤原さん、保守主義というのは？」

　トモエが尋ねた。

「会計の世界でいう保守主義っていうのは、〝費用は多めに、利益は少なめに処理をすること〟よ」

「どうしてそんなことをするのですか？」

「会計人には利益を少なめに報告したい意識があるの」

　萌実の答えに、トモエは首をひねった。

「利益を多めに見せたい、というのなら話はわかりますが……」

「経営者ならそういう人が多いかもね。でも、会計人の間では〝損失は予想すれども利益は予想すべからず〟っていう格言があってね、〝多めに利益を出して、他人をミスリードしたくない〟とか、〝いま利益を少なめに出しておけば、その利益が繰り越されて、後のち利益を多く出すことができる〟と考える場合が多いの。もちろん、〝利益が少ないほうが税金を払う額も少なく済む〟という理由もあるわね」

「利益が少ないと、税金を払わなくてもいいんですか？」

「税金は利益の大小によって変わってくるからね。利益がゼロなら、税金はほとんど払わなくていいの。世の中の会社の大半が赤字なのも、税金を払わないようにするために、わざと利益を出していない会社が多いからなのよ」

「では、キソープライムは税金を払いたくないから利益を減らそうとしているのでしょうか？」

「そこが謎なのよ。これまでたくさん税金を払ってきた会社だから、いまさらそんなことは言わないと思うのよね〜。利益の減少つまり、逆粉飾は株価に大きな影響を与えるし」

「それでは、なぜなんでしょう？　なにか思惑があって……」

「思惑ねぇ……そうだ、トモエっち。あなたのお友達に、報道局の人とかいる？」

「もちろん、同期にも何人かいますけど」

「よかったぁ。ひとつ、お願いしてもいいかしら――」


翌朝。ホテルの朝食で柿本と萌実は一緒になった。情報交換のために待ち合わせをしておいたのである。

「カッキー、アンタのほうはなにか新しい情報を聞けた？」

萌実はバイキングで取ってきた食事をテーブルに置いた。

「それはもう、いろいろ聞けましたよ」

向かいに座った柿本は自信満々で答えた。

「へぇ、どんなこと？」

「昔、源社長と飲みすぎてカラオケボックスを壊した話とか、社内恋愛に巻き込まれてヒドイ目にあった話とか」

「アンタねぇ……もうちょっと大事な話を聞きなさいよ。源社長と中原副社長の関係については聞かなかったの？」

「聞きましたよ。でも、仲が悪いっていう話はひとつも出ませんでした。意見が違った時でも、お互いを尊敬していたので決して感情的なケンカにはならなかった、と言っていましたよ」

「ふーん」

「ただ、中原副社長はキソープライム第二位の大株主だったんですけど、最近徐々に自社株を売りはじめていたみたいですね。それに、仕手筋《してすじ》を使って株価操縦もしていたみたいです。これはまだ落合さんしか知らないことらしいんですけど」

「さすがは社内一の情報通ねー。ところで、子供の頃の話は聞かなかったの？　源社長と落合くんは幼馴染《おさななじ》みなんでしょう」

「そう言われてみると、まったく聞かなかったですね。なぜなんでしょう?」

「私に聞かないでよ」

萌実はそのあと一人でなにかを考え込んでいた。


柿本と萌実は子会社で監査の続きをはじめた。落合はこの機会に子会社内を視察してくると言って、部屋を出て行った。トモエは、朝一番で東京に戻った。

二人で資料をひっくり返すこと、二時間。調べれば調べるほど、この会社の業績悪化リスクは小さいことがわかってきた。なぜ今井が評価損を出したがるのか、柿本には不思議でならない。

そんなとき、萌実の携帯電話が鳴った。

「プリンスからだ。いったいなにかしら」

萌実はそう言いながら電話に出た。プリンスとは柿本たちの後輩で、今日は監査法人の事務所で仕事をしているはずだ。

「――プリンス、おつかれ。――えっ、山上さんが? それ本当なの!? ――わかったわ、ありがと」

萌実は沈痛な表情で、携帯電話をテーブルに置いた。

「萌さん、どうかしたんですか？」

「……山上さんが任意同行で事情聴取を受けているって」

「えっ!?」

「結局、最後に中原副社長と会っていた山上さんに疑いがかかっているということよ。アリバイもはっきりしないしね」

「ど、どうしましょう？」

「私たちにはどうしようもないわよ」

　再び萌実の携帯電話が鳴った。

「──トモエっちからだわ。あの娘《こ》も仕事が早いわね」

　萌実は再び携帯電話をとった。今度は何事だろう、とジッと見ている柿本に気づいて、萌実が手招きをする。

　柿本は少しためらったが、あまり近づきすぎない程度に顔を寄せて、電話の内容を聞かせてもらった。

「トモエっち？　どうだった？」

「あ、あの、大変なことがわかりました……」

　トモエは涙声だった。

「落ち着いて話して、トモエっち」

「は、はい。報道部で確認したところ、藤原さんがおっしゃった通り、木曾で事件が起きていました。一九九〇年十一月十日です」

「ちょうど十四年前の明日なのね」

「はい。高校生がバイクで人をはねた事故で、今井幸子さんという女性が亡くなっています。母子家庭だったため、当時中学生の一人息子があとに残されたそうです」

「そう……」

今井という名前が出てきたことに、柿本は驚いた。

「無免許の上、盗難車、おまけにひき逃げだったこともあって、当時かなり大きく報道されたようです。ワイドショーの画像も残っていました」

「トモエっち。残された息子さんの名前はわからないの?」

「わかりません。ただ……葬儀の様子が映っていました。泣いていた息子さんは……今井さんだと思います。今井平CFO……」

電話の向こうでトモエの声が震えているのが、柿本にもわかった。

「――トモエっち。犯人の少年の名前は?」

「……」

「トモエっち。つらいと思うけど、頑張って」

「み、未成年だったので、報道はされていないのですが……源佳仲、という名前だそうです……！」

萌実は嗚咽《おえつ》が聞こえてきた携帯電話をいったん離し、深いため息をついた。

そして、再び電話を口元にあてると、トモエに優しい声をかけた。

「——ありがとう、トモエっち。つらい役をさせて、ごめんなさいね」

萌実はゆっくりと電話を切った。

柿本は、あまりの内容に青ざめていた。

「萌さん……つまり源社長は、今井さんにとっては親の敵《かたき》ってことですか……？」

「そういうことになるわね」

「萌さんはあまり驚いていませんが、知っていたんですか？」

「まさか。ここまでヒドイ事情があるとは思っていなかったわよ。ただ……イマピーに『墓参りに行くから浜松には行けない』と言われたときに、田舎はどこなのって、何気なく聞いたのよ。そしたらアイツ、言葉をにごしたの。で、イマピーの部下に聞いてみたら……木曾だって答えが返ってきたの」

「そうか、それで落合さんから源社長も木曾出身だと聞いて……」

「ちょっと変だと思ったわけ。それに、イマピーがアンタに、『私と社長はながぁいつきあいです』って言ったことがあったでしょう？　あのときのイマピーの陰険な笑い方が、ずっと気になっていたのよね」

「それで二人に昔、なにかあったのではないかと思ったわけですね」

「そう。トモエっちには、木曾で昔、今井という人が関わった事件がなにかないか調べてくれって頼んだのよ……まさかこんなことが出てくるなんてね」

二人は沈黙した。

柿本はまだ頭の整理ができていなかった。

源社長に恨みを抱いていた今井。もしかしたら、彼は復讐《ふくしゅう》のために会社に損失を与えようとしているのかもしれない。でも、何年もキソープライムのために働いてきて、いまさら？　それに、そのことと中原副社長殺害事件は、どう関係するのだ……？

「……もう一人、調査を頼むしかないわね」

「え？」

「ううん、なんでもない。ところで、明日の予定はどうなっていたっけ、カッキー」

「明日は朝早くここを出発して、新幹線で東京に戻り、その足で都内の事業所を回るんですよ」

「そう、じゃあちょっとだけ予定を変更するわよ」

萌実はおもむろにノートパソコンを開いて、日本地図を表示させた。

「どうするんですか?」

「ルート変更よ。逆方向の新幹線に乗って名古屋に行って、そこから中央本線で木曽を経由して東京に戻るの!」

「……それはもはや、ちょっとしたルート変更って言わないですよ」

11

柿本と萌実は、名古屋から木曽へと向かう特急列車に揺られていた。

「本当は落合くんにも木曽に来てほしかったんだけどなー。なにか落合くんから新しい情報が出てくるかもしれないし。人手もほしいし」

「でも、浜松だけというお願いだったのですから、仕方ありませんよ」

「それにしたって、昨夜《ゆうべ》のうちにサッサと一人で帰るのは、人としてどうかと思わなーい?」

「……予定外の出張にトコトンつきあわせようとするほうが、どうかと思いますよ」

「ぶう」

萌実は不満そうな顔をすると、プリントアウトしておいた地図を取り出した。

「えーっと、木曾にある墓地や霊園は六つ。木曾福島《きそふくしま》駅に着いたら、そこから別行動で三つずつ回るわよ」

「あのう、ちょっと聞いてもいいですか？」

「なによ、カッキー」

「いまさら聞くのも変なんですが、どうして墓地や霊園を回らなきゃならないのでしょうか？」

「アンタ、ばっかじゃないの。例の事故があったのは、一九九〇年十一月十日——十四年前の、今日なのよ」

「あっ、そうか。今井さんはお母さんのお墓参りをするために休暇をとっているんだから……」

「そう、木曾の墓地にいるはずよ。ふんづかまえて、お母さんの墓前ですべてを吐かせてやるんだから！」

「な、なにも墓前でなくても……」

「だって、お母さんだって絶対、復讐なんて喜ばないはずよ。イマピーはキソープライムを大赤字にして、個人資産三〇〇億円の源社長に大損させれば、気分が晴れるかもしれないけれど、巻き添えをくう一般投資家はどうなるの。わざわざ優良子会社を評価損にするなんていう、逆粉飾のせいで、損をする投資家は。苦労して手に入れた公認会計士の資格を、人を不幸にするために使うなんて、お母さんが喜ぶはず絶対にない！」

「萌さん……」

萌実は、声を荒らげてしまったことに少しバツが悪そうな顔をすると、墓地の地図を柿本に無言で押しつけた。

「萌さん、僕、ひとつ不思議なことがあるんですけど」

「なによ」

「今井ＣＦＯは、どうしていまさら復讐なんてするのでしょう？　最近になって、源社長が十四年前の犯人であることに気づいたってことでしょうか？　でもそれにしては、偶然キソープライムに就職するというのはできすぎな気がして……」

「もちろん、偶然ってことはないでしょうよ。イマピーは『源社長に拾われた』って言っていたけど、イマピーが公認会計士試験に受かった当時、会計士の就職は超売り手市場だったんだから、大半の合格者が大手監査法人に無試験で就職していったはずよ。ベンチャー企業に就職したなんて、稀有《けう》な例だわ。なにか特別な目的でもない限り、そんなところに就職なんてしないはずよ」

「じゃあ、どうしていまさら……」

「それはわからないわ。ただ、なんらかのキッカケがあったんでしょうね——」

「そういえば、源社長のほうは、今井ＣＦＯが被害者の息子さんだと知っていたんでしょうか？」

「知ってたら雇わないいんじゃない？」

「でも、履歴書を見れば、木曾出身だってことはわかりますよね？　それで今井って姓が一緒なら……」

「カッキー。事故があったとき、イマピーは中学生だったのよ。たとえば親戚《しんせき》に引き取られて引越しをしたら、履歴書にはどこにも〝木曾〟って情報は出てこないわ」

「……そうか。学歴は普通、高校からですしね。本籍だって木曾とは限らない」

柿本はフーッと息を吐いて、背もたれにもたれかかると、目を閉じた。

トモエは源社長に、このことを話しただろうか？

源社長は、今井ＣＦＯが事故相手の忘れ形見だと聞いたら、一体どう思うのだろうか——。

柿本はパチリと目を開けた。

「そういえば、この間〝トモエっちルーム〟に源社長が出ていたとき、『高校の授業がつまらないから中退して渡米した』と言っていましたが、あれは本当は、死亡事故を起こしたためだったんですね」

「そういうことね」

「それにしても、このことと中原副社長が殺された件は、どうつながるんでしょうか？」

「――これはまだ私の推測だけど、イマピーは、復讐のことを中原副社長に気づかれて、殺してしまったのかもしれないわね」

柿本は気持ちが沈んだ。

もしそうだとしたら、一般投資家への損害うんぬん以前の問題だ。無関係な人を殺すなど、それこそ亡くなったお母さんも喜びはしないだろう――。

そのとき、萌実の携帯電話が鳴った。

「――もしもし。あっ、プリンス、待ってたわよ――うん、メモするからちょっと待って」

萌実はカバンから手帳を取り出し、サラサラと走り書きをした。

「――うん――うん――そう。誰かは、まだわからないの？　――そう、じゃ、わかったらまた電話ちょうだい。じゃあね」

萌実は携帯電話と手帳をカバンにしまった。

「どうしたんですか、萌さん」

「アンタが落合くんから聞いてきた、キソープライムの株価操縦のことよ。プリンスに調べるよう頼んでおいたの。まだはっきりしないけど、たしかにあるらしいってことよ」

「もしかしたら、今井ＣＦＯにも関係がある話なんでしょうか……」

「さあねぇ——」

萌実は窓の外に視線を向けた。アナウンスが、まもなく木曾福島駅に到着することを告げた。

12

木曾福島駅を出ると、二人はタクシー乗り場へと急いだ。

「じゃあ、カッキー。イマピーを見つけ次第、電話するのよ」

「はい！」

萌実と柿本はそれぞれ別のタクシーに乗り込んだ。

「――えーっと、徳音寺、大通寺には今井家の墓がなかったから、次は木曾寺ね」

タクシーの中で、萌実は地図を見ながらつぶやいた。

「アンタ、墓ばっかり回って、いったいなにをしているんだね」

駅からずっと乗っているタクシーの運転手が、萌実に話しかけてきた。

「ちょっとね――」

ごまかしかけて、萌実はそうだと思いついた。

「ねえ、おじさん。十四年前にこの辺であった、バイク事故を知っている？」

「えっ、そりゃあ、もちろん知ってるさ。ありゃ～ひどい事故だった」

「ほんと⁉　私、実はあのときの被害者の、今井さんのお墓を探しているのよ。おじさん、どこだか知ってる？」

「さあ～、いっくら小さい町でも、そこまではなあ……」

「そう……じゃあ、加害者の少年のことを、なにか知っている？」

「ああ、源んとこのせがれだろ」

「な、名前まで知っているのね」

「そりゃ～アンタ、都会と違って、噂なんてすーぐに回るから。かわいそうに、あそこの両親は、すっかり立場なくしちまってさ。あそこのせがれは、もともと悪くてなあ……暴走族だったんだよ、暴走族！」

「へ……へえ〜……そうだったんだ」

「こーんな田舎でも、いるんだよ、手のつけられないヤツがさ。近所の悪ガキとつるんで……あの金魚のフンは、どこの息子だったかなあ」

「……もしかして、落合さん？」

「ああ、そうそう！　お嬢さん、アンタよく知っているねえ」

「ま、まあね」

「アイツら、いつかなにかやらかすと思ってたよ。いまはどうしているのか、サッパリ聞かねえが……早いとこ、いなくなってくれてよかったよ。死んだ幸子ちゃんと、残された息子にはかわいそうだったけどさ……」

「……」

無免許、盗難車、ひき逃げ、暴走族。

萌実には、誰が一番悪いのかわからなくなってきた。

木曾寺に到着した萌実は、重い気持ちで墓地の管理事務所に向かった。聞くと、たしかに今井家の墓があるという。

「おばさん、それってどの辺——？」

萌実は言われた通り、山の中腹へと向かった。コンクリートで舗装された道をウネウネとのぼっていくと、やがて線香の煙が見えてきた。——今井だ。

萌実は、少し手前で立ち止まると、柿本に電話をかけた。

「もしもし、カッキー？　——そう。イマピーを木曾寺で見つけたから、急いでこっちに来て」

萌実は携帯電話を切ると、ひとつ深呼吸をして、墓前にたたずむ今井のほうへ近づいた。

「——毎年、欠かさずにここに来ているんだってね。さっきお寺の人に聞いたわ」

今井は驚いた顔で振り返った。

「藤原さん……どうしてここに……」

しばらく呆然《ぼうぜん》としていたが、今井はすぐにいつもの顔に戻り、小さく息を吐いた。

「まさか、あなたがこれほど切れるとは……ここに来たということは、すべてをご存じなんですね？」

「ええ、たぶん」

「そうですか……」

今井は墓のほうに視線を戻すと、その前にしゃがんだ。綺麗《きれい》に掃除され、清められた墓には、白い色の花ばかりがそなえられていた。その寂しい色合いが、萌実の胸を突いた。

十四年たっていまなお、今井の傷は癒えていない……そのことを表しているようだった。

「母さん、お客さんですよ。藤原さんというとても元気がよくて頭のいい女性です」

萌実は今井の横にしゃがみ、一緒に拝んだ。やがて、どちらからともなく立ち上がる。

「──源社長のこと、恨んでいるの？」

萌実が聞くと、今井はフッと暗い笑みを浮かべた。いつか柿本に見せた笑みに似ていた。

「恨んでいる？　そんななまやさしいものではないですね。僕はずっと彼への復讐のために生きてきたのですから」

「──ウソね」

萌実は断言した。

「えっ」

「じゃあ、どうしていまなの。就職してからこれまでのあいだに、いくらでも復讐の機会はあったはずよ」

半分は、ハッタリだった。だが、萌実がじっと今井を見つめると、やがて今井が視線を外して、大きく息をついた。

「あなたには、かなわないな……たしかに僕はキソープライムに入社したあと、復讐のことはずっと封印してきました。いや、もう忘れようとしていた。あの頃の社長はリーダーとしての情熱に燃えていて、僕らもキソープライムを大きくすることに一生懸命でした。楽しかった……小さな事務所で、みんなで何日も泊り込んで……ひとつ、またひとつと仕事がうまくいくたびに、手を取り合って喜んで」

今井はなつかしそうな目をした。

「どうして、また復讐を開始したの」

「そうですね……上場してからすべての歯車が狂いだしたのかもしれない。源社長からは技術や製品に対する情熱が失われ、強欲さだけが目につくようになった。享楽的で派手な生活……二言目には、株価、株価、株価。自分の個人資産を膨らませることだけが、あの人の目的になってしまったんですよ。そして一カ月ほど前、僕は偶然あの番組を見てしまった」

「あの番組？」

「社長が出たトーク番組ですよ。あの番組で、彼はなんて言ったと思います？『高校の授業がつまんないから渡米した』って言ったんですよ」

萌実は息をのんだ。

「――アイツは母さんを殺して、高校を退学させられたんです。アイツにとって、僕の母は『つまんない授業』なんですか？」

今井は墓に目をやった。その瞳には悲しさ、悔しさがあふれていた。

「……」

「僕はアイツに近づいた当初の目的を思い出したのです。そして、運良く僕はＣＦＯという地位にいた。会社の業績を操作することくらい、机の上でだってできます。彼が大事にしている会社、いや彼が大事にしている個人資産……そのほとんどを占めるキソープライム株を価値のないものにすることくらい、簡単です。株価が下がるのを見て、恐怖する彼を見たかった……」

風が渡った。墓に備えられた白い花が、静かに震えて香りを立てた。

「――ただ、予想外だったのは、あなたのことです。せっかく、火事のどさくさに紛れて子会社の財務資料を隠滅したのに、浜松まで行くと言い出したときには、驚きましたよ。監査計画には子会社往査などなかったはずなのに……」

「ごめんね。私はセオリー通りの監査をしないことで有名なの」

「そうですか……それは僕に運がなかったですね」

今井が、はかない笑顔を作った。

「あのねー。運があったら、このまま知らんぷりして生きていくつもりだったの？　逆粉飾までしてキソープライムを赤字にして。多くの投資家に莫大《ばくだい》な損害を与えて。人を一人殺しておいて。……どうして、中原副社長を殺して火までつけたのかは知らないけど、アンタのお母さんが泣いているわよ！」

萌実は叫んだ。

しばらくの沈黙ののち、今井が口を開いた。

「ちょっと待ってください。藤原さんは、中原副社長を殺したのは僕だと思っているんですか？」

「……えっ？」

「僕ではありませんよ。たしかにあの日、副社長に会って今年度の決算見通しについて説明したとき、喧嘩《けんか》になりかけましたが、殺すほどのことではありません」

「そんな……じゃあ、中原副社長は一体誰が……」

今井は呆然とする萌実をしばらく見ていたが、やがてハッとしたような顔をし、駆け出した。

「ちょっと待ちなさいよ、アンタ逃げる気!?」

萌実が叫ぶと、今井は一瞬足を止めて振り返った。

「違います。ようやくわかったような気がするんです」

「なにがよ」

「副社長を殺した犯人がです」

今井はそれだけ言うと、急いで坂道を降りていった。萌実がそのあとを追おうとした瞬間、けたたましく携帯電話が鳴った。

「なによ、こんなときにっ！」

走り出しながらも見てみると、プリンスからだった。迷った末、足を止めて電話に出る。

「プリンス、手短に言って！　――えっ!?　……わかった、ありがと」

萌実は電話を切ると、あわてて駆け出した。

電話の内容は、株価操縦を仕掛けた人物についてだった。中原ではなかった。今井でもなかった。

萌実が大急ぎで坂道を下ると、突然、前方でなにか怒鳴りあう声が聞こえた。そして、人のもみ合う気配――。

萌実が、木に囲まれた曲がり角にさしかかったとき。

「うわあああああぁっ！」

今井の絶叫が聞こえた。

次の瞬間、萌実の目に飛び込んできたものは――。

コンクリートの舗道を真っ赤に染め上げる血。その中に倒れている今井。

そして――ナイフを持った源佳仲の姿だった。

13

「これは俺も運がいい。こうして会計士さんとお会いできるとはねぇ。ハハハハハッ、探す手間が省けたぜ」

源はいつもの取り澄ました顔を捨て、口をゆがめて笑っていた。ノーネクタイのスーツは真っ赤な血で染まり、顔にも首にも血が飛び散っていた。

萌実の目は、血を受けてギラギラと光る大ぶりのナイフに釘付《くぎづ》けになった。源がその視線に気づき、楽しそうに笑う。

「これかい？　いいナイフだろ？　族時代の愛用品が、こんなところで役に立つとは思わなかったぜ――会計士さん、安心しなよ。これだけ大きけりゃ、心臓を一突きだ。そいつのようにな」

萌実はグラグラとめまいがした。

冗談じゃない。とんだところで人生最大の大ピンチだ。

「話はトモエから聞いたぜ。俺が必死に隠していることを、知っちまったんだってなぁ……」

「……なんのこと？」

萌実は必死に自分を励まして、喉《のど》の奥から声を出した。とにかく、なんとか隙を見つけなければ。

救いは、源が冷徹なタイプではないということだった。いくら墓地が人少なであるとはいえ、昼間からナイフを振り回すなど、常軌を逸している。おまけに、萌実を片づけたいのなら、サッサとやればいいものを、調子に乗ってベラベラしゃべっている。萌実は、とにかく源に話をやめさせないことだと思った。

「私が知ってしまったって……アンタが放火魔で人殺しだってこと？」

「おやおや、アンタ、この期におよんでカマをかける気かい」

「カマなんか……」

「そうだよ、俺が中原を殺したんだよ！　……って、言ってほしいんだろぉ？」

源がヒイヒイと笑う。

「違うって言うの」

「違うなあ。アイツを殺《や》ったのは、落合だよ。アイツは族時代からの舎弟だから、俺の言うことはなんでも聞くのさ……」

「あっ、そうか……浜松の往査に落合くんがついてきたのも、私たちを見張るためだったのね……⁉」

「そういうこった な」

源は血で汚れた顔に、ニイと笑みをうかべた。

萌実は唇をかんだ。落合が予定を早めて昨日のうちに東京に帰ったのは、萌実たちの行動を源に報告するためだったのだ。

「いいねえ……いい顔するじゃねえか。ご褒美に教えてやるよ。俺が必死に隠してたのは、そこに転がってるヤツの母親を殺したってことさ……！」

源がクイッと顎《あご》をしゃくって、今井のことを示す。

萌実はチラッと今井に視線をやった。流れ出た血が、池のようになっている。早くなんとかしなければ……。

「まさかコイツがあのときの息子だとは思いもしなかった……昨日トモエから聞いて、仰天したよ……ま、それだけは調べてくれたアンタに感謝するぜ。おかげで、コイツの馬鹿な粉飾も防げたしな」

「……アンタなんかに、感謝されたくないわよ。それに、どうして中原さんを殺す必要があったのよ」

「アイツは仕手筋を使って株価操縦をしていたのさ。キソープライムの株を売り抜ける気でいたんだ。俺は会社を裏切るような奴を、許しておくわけにはいかなかったんだよ」

萌実は視線を源にあてたまま、ゆっくりと首を横に振った。

「ウソよ……仕手筋を使って株価をつり上げていたのは、中原さんじゃなくてアンタじゃないの」

「……どうしてそれを知っている」

さすがに源の顔色が変わった。

「監査法人の調査能力をバカにしないでくれる？　うちの部下から『社長が会社の株を現物で売りさばいている』っていう報告を聞いたわ。アンタは、株価をつり上げておいて手持ちのキソープライム株を高値で売りつけ、数十億円単位の現金を手に入れていたんでしょう」

「……うるせえな」

「それに気がついた中原さんが、アンタを問い詰めたのね。それに逆ギレしたアンタは……」

「うるせえっつってんだろ……!?　おしゃべりは、それくらいにしとけよ」

萌実は源の手許《てもと》に気がついてギョッとした。黒い革の手袋がはめてある。

「アンタ、その手袋……計画的だったのね」

「そうさ。トモエから話を聞いて今井を始末してやろうと休暇中の行き先を調べたら、木曾に墓参りだっていうじゃねえか。そこに落合がスッ飛んで帰ってきて、アンタが向かうのも木曾だって教えてくれたんだよ」

　源は喉の奥で楽しげな笑い声を立てた。

「それで、アンタと今井をいっぺんに始末できると思ったってわけさ——心中のように見せかけてな。これでもう、俺の秘密を知る者は誰もいなくなるのさぁ」

　その言葉に萌実は愕然《がくぜん》とした。

「誰もいなくなるって……落合くんやトモエっちは⁉」

「へっ、へっ。落合はビビリやがって、自首しようと言い出したんだ。アイツ、結局俺のことを裏切ったんだ。いまごろ病院の霊安室でおとなしくしているんじゃねえか。トモエは……知っているのは十四年前の事故のことだけだからな。とりあえず監禁しておいたよ。手放すには、おしいからなあ」

　ヘラヘラ笑った源の顔を、萌実はキッと睨《にら》んだ。

「アンタだけは絶対に許さない！　死んでも絶対に許さない‼」

「でもアンタ、もう死ぬんだけどな。残念だったなあ」

源はグッと両手でナイフを握りしめた。その意味するところを悟り、萌実が後ずさる。

「ちょ、まっ……」

「文句はあの世で今井に言いなあ！」

源は前のめりにナイフを突き出したまま、萌実めがけてまっしぐらに駆けてきた。

「きゃあああ！」

萌実はとっさに、肩にかけていたバッグを投げつけた。

「うわっ」

声がしたときにはもう駆け出していた。どうやら命中したらしい。

しかし萌実はすぐに後悔した。

なぜ、山を上がって来てしまったんだろう。

せめて、寺のほうへ下りればよかったのに――！

「待ちやがれ、このっ！」

すぐ後ろで声がし、萌実はとっさに横へ飛んだ。

次の瞬間、真っ赤なナイフが萌実の腕ギリギリに振り下ろされ、間一髪で危機を逃れたことを知る。

反転して正面からギッと見据えると、源は一瞬たじろいだが、またすぐにナイフを握りなおした。

萌実は肩で息をしていた。

身を守るものもない。逃げ切れるほどの足もない。

絶望的だった。

そんな萌実を見て、源は面白そうに口の端を上げる。

「へっ……息があがってるじゃねえかよぉ……もうあきらめな、これで終わりだ！」

源がナイフを振り上げたのを見て、萌実はとうとう目をつぶった。

「いやーっ!!」


バァンッ！


突然、下のほうから銃声が聞こえた。

萌実が目を開け、源が振り向くと、「警察だ、おとなしくしろ！」という声とともにバタバタという足音が聞こえてきた。

――助かった！

「動くな!!」

曲がり角から制服姿の警官が現れ、両手で構えた拳銃《けんじゅう》を源に向ける。

源は呆然《ぼうぜん》と立ち尽くしていた。

「萌さん！　早くこっちに!!」

柿本が必死の形相で手を差し出す。

「カッキー!?」

萌実はホッとして駆け出そうとしたが、緊張のためか足がもつれて、たたらを踏んだ。

「きゃ……」

わずかに三歩。

源から離れたところで、「くっ……」とうなる声が背後から聞こえた。

「くそう、お前のせいでえっ！」

「萌さん、後ろ!!」

振り返った萌実は高々とナイフを上げた源の姿を見た。

その瞬間。


バァンッ！

二発目の銃声が鳴り響き、源はぐうっとうめくと、腹を押さえてその場に倒れた。血染めのナイフが、カラカラと乾いた音をたててコンクリートに転がる。

「萌さん、大丈夫ですか！」

ガクンと膝《ひざ》をつきそうになった萌実の体を、柿本が寸前で抱きとめた。

「怪我は⁉」

「な、ない……ナイフの血は、私のじゃないの。イマピーが、イマピーが……」

「今井さんが倒れているのは途中で見ました。大丈夫ですよ……いま、警察の方が救急車を呼んでくれています」

それを聞いて安心すると、萌実はぽろぽろと大粒の涙をこぼしはじめた。柿本のシャツをギュッとつかむ。

「ア、アンタねぇ。来るのが遅いのよ！　どうして、いつもいつもこうトロいの。本当に、本当に、大変だったんだから‼　……うっ、うっ」

「すみません。今井CFOを捕まえてもらおうと警察を呼んでいたら、遅くなってしまって……」

「アンタらしい勘違いね。でも、おかげで助かったわ――」

エピローグ

木曾での事件から一週間後。

さわやかな秋晴れの午後、柿本と萌実は花を選んでいた。

「――じゃあ、そういう感じでお願いね」

「かしこまりました」

店員が花束を作っている間、そういえばさあ、と萌実は柿本に言った。

「私、気がついちゃったんだけど、あのとき源のヤローが、『お前と今井と落合とトモエを始末すれば、俺の秘密を知る者は誰もいなくなる！　ウワハハハ！』みたいなこと言ったんだけど、それって変よね」

「なにがですか」

「アンタは？」

「えっ？」

「あの社長、アンタも十四年前の事故のことを知ってるって、忘れてたみたいなのよね」

「ええーっ！」

「もしくは、忘れていたのは落合とトモエっちかもしれないけど。私のことばっかり報告して、アンタのことは源のヤローに言うのを忘れていた、とか」

ガーン！

という擬音が聞こえそうなぐらい、柿本はショックを受けた。

命を狙われなかったのは嬉《うれ》しいが、そこまで存在を忘れられたのは、全然嬉しくない。

「アンタって、ほんと存在感薄いのねえ……」

萌実はしみじみと言った。

「こんにちはー。調子はどう、イマピー？」

萌実が花束をかかえて個室のドアを開けると、ベッドに横たわってテレビを見ていた今井が首をめぐらした。ぎこちない動きで上半身を起こそうとするのを、柿本があわてて助ける。

「すみません、柿本さん。藤原さん、こんにちは——おかげさまで、だいぶ痛みは引きましたよ」

源の一撃は、かろうじて急所をはずれていた。だが、あと少し救急車を呼ぶのが遅れていたら、失血死するところだったのだ。

「ふーん、意外とタフなのね」

「それこそ、子供の頃から木曾の山奥で鍛えていましたからね」

「よかったわ。早くアンタが治ってくれなくっちゃ、会社のほうは大変よ」

「そうですよ、今井さん。社長も副社長もＣＦＯもいなくなっちゃって、新本社ビルのみなさん大変そうですよ」

「そうですか。でも、みんなの力で上場にこぎつけたのです。この困難もきっと乗り越えられるはずですよ」

「そりゃあ、この困難というか、混乱は乗り越えられるかもしれないけど、そのあとはどうするのよ、イマピー」

「そのあと？」

「いまは営業部長の樋口さんが、中原副社長の腹心の部下だったってことで社長代行をしているけど、次の社長になれるのはアンタしかいないって、みんな言ってたわよ。覚悟決めときなさいよ」

今井は驚いたように目を見開いた。

今井は結果的に、なにも罪を犯していなかった。逆粉飾をして、キソープライムを赤字に転落させようとしたのは、あくまでも期末決算での計画であり、今回の中間決算では在庫売上をなくしただけなので、数字にさほどの影響は与えていなかった。なにも知らない社員たちがこれまで優秀なCFOだった今井に期待するのは、当然の流れだった。

「僕のような者を……みんな……」

「それから、はい、これ」

萌実は花束を今井に渡す。

「お見舞い――どう、かわいいでしょ？」

白を中心に、ピンクや黄色を混ぜた愛らしい花束に、今井は目を細めた。

「ええ、とても綺麗《きれい》ですね。ありがとうございます」

「覚えときなさい。白だけの花束なんてね、寂しすぎるのよ――お母さんだってきっと、もっと明るい花がほしいはずよ」

「――藤原さん……」


そのとき、つけっぱなしだったテレビから次のようなニュースが流れた。

『次のニュースは、キソープライム事件の続報です。中原茂副社長を殺害したうえ本社ビルに放火した容疑で逮捕された、元従業員落合吾郎容疑者を、警視庁は午前十時東京地検に送検しました。落合容疑者は十日未明にひき逃げに遭い入院、その場で警察に自首しており、容疑を全面的に認めている模様です。また殺人未遂・殺人教唆容疑で逮捕されている源佳仲容疑者も近いうちに起訴される見通しで――』

今井がプツンとテレビを切った。

重たい空気が流れる。

そんなとき、トントンと病室をノックする音が聞こえた。

「はい、どうぞ」

今井が返事をすると、トモエが入ってきた。

「あのう、お見舞いに来ました。あっ、藤原さん」

「トモエっち！　もう大丈夫なの？」

「ええ、おかげさまで」

トモエはにこやかに微笑んだ。

源に監禁されていただけだったので怪我はなかったのだが、精神的なショックのため、トモエはしばらく寝込んでいたのだ。

「……でも、少し痩《や》せたみたいですね、旭日さん」

柿本が言うと、トモエが困ったように笑った。

「さすがに、八年の月日は重かったですわ……でも、もう大丈夫です。復帰に向けて、仕事の打合せもはじめているんですよ」

笑顔を作るトモエに、元気になってよかったですね、と今井が声をかける。

「――僕も負けられないな。ね、藤原さん」

笑顔で見上げてくる今井に、萌実は大きくうなずいた。

「そうよ、イマピー……頑張って！　アンタなら社長業もやっていけるわ！」

「まあ、そうなんですか？　じゃあ、今度是非〝トモエっちルーム〟に出ていただかなくちゃ。でも……その前に、実は藤原さんに、私の復帰第一回目のゲストとして出ていただきたいのですが、いかがでしょう？」

「えっ、私が!?」

「ええ、有名人ばかりではなく、各界の若手トップもよくゲストに呼んでいるんですよ。藤原さんなら女子大生で会計士ですから、話題性もあるということで、ＯＫが出たんです」

トモエの言葉に、萌実は飛び上がってよろこんだ。

「ホント!?　聞いた、カッキー！　私、ついに芸能界デビューよ！」

「……誰もそこまでは言っていませんよ」

その後、萌実が興奮のあまり収録直前に倒れてしまい、代役として急遽《きゅうきょ》、柿本が出演するというドタバタ劇が起こったのだが――それはまた、別のお話。

［8］実態よりも利益を大きく見せることを「粉飾決算」と呼ぶのに対し、逆に利益を小さく見せることを「逆粉飾決算」と呼んだりする。

おまけファイル1

〈萌実版 ヴェニスの商人〉事件

――冒険会計の話――

1

「萌さん、今日は一体なんの集まりなんですか？」

萌さんのメールにより監査法人の会議室に集められたのは、代表社員の山上さん、マネージャーの大津《おおつ》さん、スタッフの僕など約三〇名。よく監査で一緒になる仲のいいメンバーである。

僕らが席につくと、萌さんは正面にあるホワイトボードの前に立ち、全員を見回しながら言った。

「みんな来ているわね。今日、集まってもらったのは他でもないわ。実は私、日本公認会計士協会関東会の広報委員をやっているんだけど、今度一般市民の人たちを対象にしたイベントをすることになったの」

「へえ、それはいいですね。会計士協会の広報活動って、世間の方に会計士の仕事を知ってもらうのが目的なんですもんね。それで、一体なにをするんですか？」

一番前に座っていた僕は、みんなを代表して聞いた。

「いろいろ意見は出たのよねぇ。講演会とか討論会とか。でもきっと堅いとしらけちゃうと思うの。他にはゲーム大会っていう意見も出たわ」

「――ゲーム大会だと、会計士の仕事につなげられないですよ」

「そうでもないわよ、カッキー。例えば、会計士版人生ゲームとか。でも忠実に作っちゃったら、途中でCPEの単位を落としたり、資格停止処分を受けたりするし、そもそも会計士人生のゴールってそんなにたいしたことないのよねぇ」

「そんなこと言ったら、元も子もないです！　それで結局、イベントはなんにしたんですか？」

「劇よ。演劇をすることにしたの」

萌さんの言葉に、みんなは安堵《あんど》の表情を見せた。つまらなそうな講演会や訳のわからないゲーム大会よりはマシだと思ったのだろう。

「なるほど、演劇ですか。それは面白そうですね。演劇を通じて会計士の仕事を知ってもらう——これだったら、一般の方にも楽しんでもらえるかもしれませんね」

僕も賛意を示した。

「——萌実くん。それで一体どんな劇団を呼ぶのかね」

代表社員の山上さんが尋ねた。

「劇団と言ってもプロの劇団から、アマチュア劇団、学生劇団、人形劇団といろいろあるからな」

大津さんも言った。

しかし、萌さんはとても驚いていた。

「えっ？　なにを言っているのよ、山上さん、大津さん。劇団を呼べるような予算なんてあるわけないじゃない」

「ちょっと待ってください。じゃあ、どうするんですか！」

僕の言葉に、萌さんは笑った。

「——ばっかねぇ。大人数がこうして集められている時点で、気がつきなさいよ。もちろん、このメンバーでやるのよ。私たちで演劇をねっ！」

その場に動揺が走った。

「……おいおい。そんな話、聞いていないぜ」

「……俺、劇なんてやったことねぇぞ」

「……素人が演劇なんかやって、本当に広報活動になるのか？」

不安の声がいくつも上がる。

「はい、はい。みんな、静かにして！」

萌さんが手を叩《たた》いて、みんなを黙らせた。

「練習は、来週の金曜の夜からよ。全員、ちゃんと集まってね」

「……萌さん、みんなの様子を見ていましたか？　僕らの動揺を無視して、勝手に話を進めないでください」

「見ていたわよ。不安を取り除くには練習が一番！　って、みんな思っているんでしょう？」

「全然、見ていないじゃないですか！」

「じゃあ、来週の金曜の同じ時間にこの会議室でね。他に質問はない？」

「だから質問がありすぎて、なにから聞けばいいのかわかりません！」

「じゃあ——今日は解散！」

「……萌さん。みんなの意見なんて、最初から全然聞く気がないんですね」

僕らは冷たい視線を萌さんに向ける。

「萌っち、萌っち。一体、どんな劇をするんだい？　悲劇、喜劇、時代劇、人形劇、西部劇、茶番劇——劇といってもいろいろあるけど」

プリンスこと在原純平《ありわらじゅんぺい》くんが質問をした。

「そうね……茶番劇だけは明らかに違うわね」

そして、しばらく考え込んだ萌さんはこう言った。

「やっぱり、本格的な劇がしたいわ。シェークスピアの『ヴェニスの商人』なんてどうかしら？　もちろん、少し会計用にアレンジしなくちゃいけないけど」

「『ヴェニスの商人』ですか。僕でも題名だけなら聞いたことがあります。面白そうな話ですよね」

僕が言うと、萌さんは嬉《うれ》しそうにうなずいた。

「じゃあ、演目は『ヴェニスの商人』に決定するわよ。なにか、アレンジのアイデアがある人は来週の練習の時までに準備しておいてね——」

こうして第一回目のミーティングは、怒濤《どとう》のうちに終了した。

2

シェークスピア作『ヴェニスの商人』とは次のような作品である。

ヴェニスの商人アントーニオは、友人バサーニオから、ベルモントの地にいる大富豪の娘ポーシャ姫に求婚したいので、お金を貸してほしいと頼まれる。しかし、ちょうど貿易船に莫大《ばくだい》な金額を投資していたアントーニオには用立てられるお金がなかった。仕方ないので、日ごろ犬猿の仲だった高利貸しのシャイロックからバサーニオが借金をして、アントーニオはその保証人になった。

その際アントーニオは、「もし返済できなかった場合、身体から一ポンドの肉を切り取り与える」という証文を書いてしまう。あくまでも冗談だと言われたからだ。

バサーニオは見事ポーシャ姫への求婚に成功するのだが、借金の期日までには帰ってこられない。保証人のアントーニオは投資した貿易船がすべて沈没するという悲運に見舞われ、やはりシャイロックに借金を返せない。そこでシャイロックは以前から憎んでいたアントーニオに対し、証文に書かれた通り一ポンドの肉片を切り取らせるようにと迫る。

このことを知ったバサーニオは妻となったポーシャ姫から譲り受けた財産を持ってヴェ

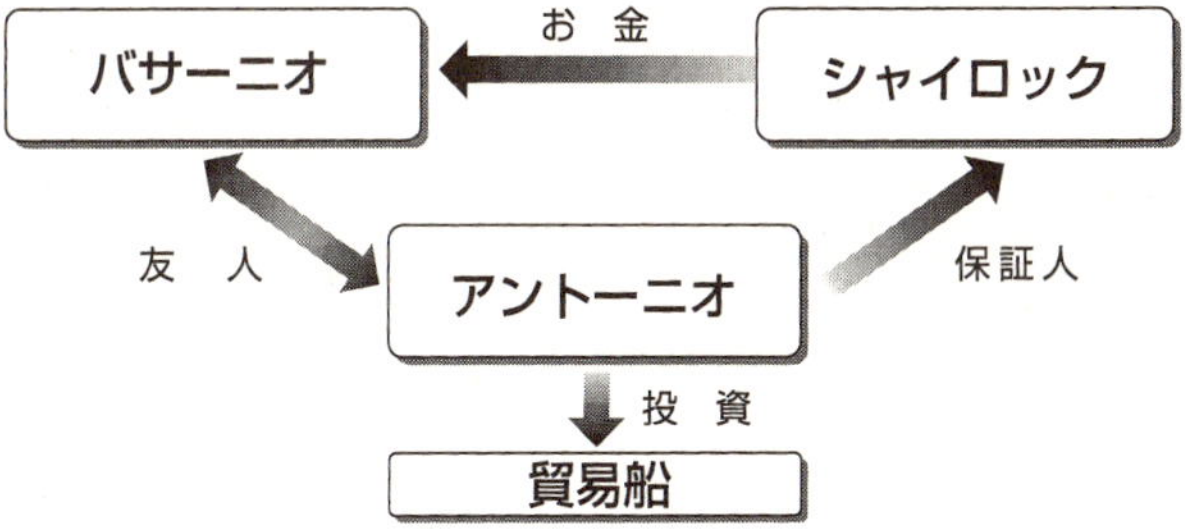

ニスへと戻り、ポーシャ姫も一計を案じてバサーニオに内緒でヴェニスへと向かう。

バサーニオが駆けつけるとすでに裁判がはじまっており、バサーニオはシャイロックに「三倍にして返す」と提案するのだが、シャイロックは意地でもアントーニオから一ポンドの肉を切り取ると言ってきかない。

そこに若き法学者に変装したポーシャ姫が現れる。男装したポーシャ姫はヴェニスの公爵からこの裁判を任され、法学的見地から、証文どおりに肉一ポンドを切り取るようにと命じる。

この判決に大喜びするシャイロックだが、ポーシャ姫は続けて「ただし、一ポンドが少しでも狂ってはいけない。そして、血が一滴でも流れてはいけない」と命じ、アントーニオは命が助かる。

「――なるほど、『ヴェニスの商人』って法廷劇だったんですね」

萌さんから本を借りた僕は、監査法人が入居しているビルの地下にある喫茶店で読み終え、感想を言った。

「そうよ。ちなみに私のムダ知識を披露すると、この『ヴェニスの商人』には〝人肉裁判〟っていう和訳もあるのよ」

カウンター席の隣で劇の構成を練っていた萌さんが言った。

「それにしても、この話のどこに会計の話が入ってくるんですか？」

「現在使われている会計の基礎は、このヴェニスの商人の舞台となった中世イタリアで誕生したのよ。アントーニオが貿易船へ投資する話があるじゃない。当時の商人は一隻の貿易船に投資して航海をさせ、世界各地から持って帰ってきた積荷で莫大な収益を上げていたの」

「それがどう会計につながるんですか？」

「船を作って航海に出すなんて安くはないのよ。大切な財産がかかっているんだから、一隻の船にどれだけ投資してどれくらい回収できたか、というのを正確に把握する必要があったの。そこで生まれたのが〝冒険会計〟よ」

「〝冒険会計〟って、僕も聞いたことがあります」

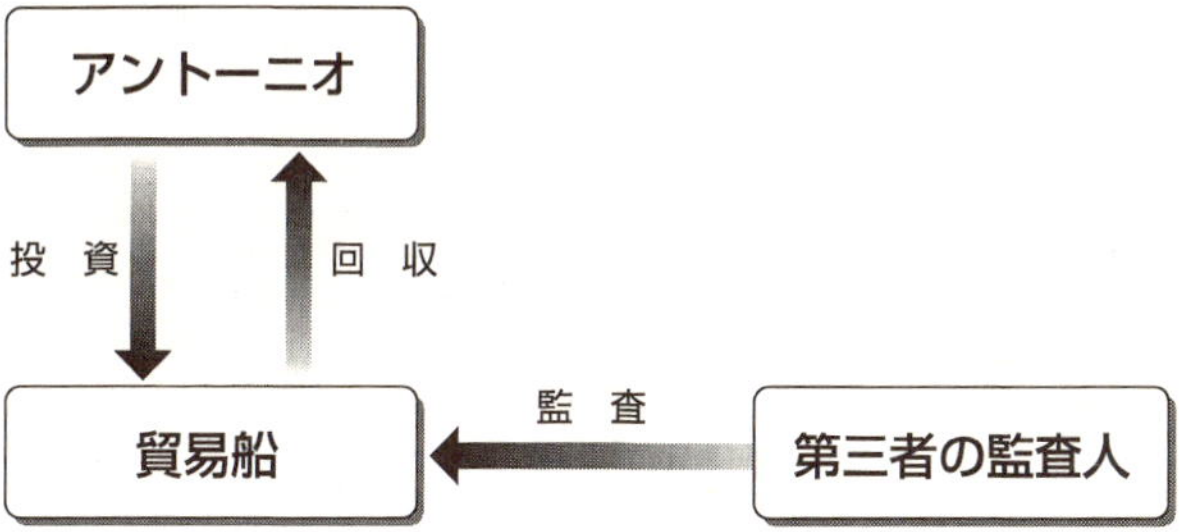

「そう、〝継続企業〟の考えがまだなかった時代の話よ。出航してから戻ってきて貿易取引を終了するまでを一会計期間として、損益を計算していたの[9]」

「今でいう設備投資の意思決定会計と似た感覚だったんですね」

「そう。航海にしろ設備投資にしろ、多額の財産がかかっているんだから、投資前には将来どうなるかを予測したいし、投資後には順調にいっているかどうかを把握したいじゃない。複数の商人で出資する場合は、儲《もう》けの分配を正確にする必要も出てくるしね。そこで、『会計をちゃんとしよう』という考え方が生まれたのよ」

　萌さんはそう言うとコーヒーを飲んで一息つき、言葉を続けた。

「それから時代がだいぶん下ると、大規模な粉飾事件も起きたりして、会計が本当に正しいかどうかを疑う人も出てきたの。そして、その正確さをチェックするための〝監査〟という私たちのお仕事が生まれたというわけ」

「なるほど。こうした会計の歴史を、劇の中にふんだんに取り入れていくんですね」

僕の言葉に、萌さんはこうつぶやいた。

「そのつもりなんだけど、なんだか邪魔が入る予感がするのよねぇ……」

3

翌週。最初の練習の日。

僕が集合時刻の三十分前に会議室に行ったら、すでに萌さんが来ていた。

「あれ？　萌さん、ずいぶん早いですね」

「カッキー、おつかれ。今日が最初だから、役割分担や配役を決めたいんだけど、その準備がまだできていなくってねえ……」

そう言いながら、萌さんは一生懸命なにかを書いている。

「役割分担や配役は、みんなで話し合って決めたらいいじゃないですか」

「う～ん。そうしたいんだけど、配役とかを決める大前提として、まず台本をある程度完成させていなきゃならないじゃない」

「えっ、まだ台本はできていなかったんですか⁉」

「『ヴェニスの商人』っていう立派な原作はあるんだけど、それにどう会計をからませるかが難しいのよねぇ。ねぇカッキー、なにかいいアイデア持ってきてない？」

萌さんは期待の目で僕を見た。

「アイデアって言うほどじゃないんですけど、ひとつお願いしたいことがありまして……」

「ふーん。なによ」

「実は、クライアントの方たちに演劇のことを話したら、みなさんが『ぜひ観に行きたい』と言ってくださったんです」

「へぇ、それは嬉《うれ》しいわねぇ。たくさんの人に観に来てもらわないといけないんだし」

「いやー、それで僕も嬉しくなって、ついつい言っちゃったんですよ。『大勢の方が来てくださるんでしたら、みなさんが作っている商品を劇中でちょこっと使っちゃったりしますよ』って……萌さん、いいでしょうか？」

「まあねぇ。せっかく観に来てくれるんだから、ちょっとぐらいなら別にいいわよ。ほら、聞いた話によると、映画でも無意味にスポンサーの製品が登場しているらしいし。それでその会社は、一体なにを作っている会社なの？」

「それが……実は株式会社李氏《りし》食品という、焼肉のタレを作る会社なんです」

「や、焼肉のタレ⁉」

「ええ、そうなんです。焼肉のタレをなんとか『ヴェニスの商人』の中で使えないでしょうか？」

「アンタねぇ、脚本家の苦労とか考えたことある？　一体どうやって中世のイタリアに焼肉のタレを登場させるのよ！」

萌さんの怒りに、僕はたじたじになった。

「え、えーっと、例えばこういうのはどうですか？　劇中で突然、主人公たちが会話をはじめるんです。『いやー腹が減ったな、バサーニオ』『そうだな、アントーニオ。じゃあ、今日は焼肉を食べよう。そう言えばポーシャよ、焼肉のタレはちゃんとあるかい？』『もちろん、準備しているわよ。おいしくて評判の李氏食品の焼肉のタレをね！』」

そのとき、後ろから笑い声が聞こえてきた。

「あっ、はっ、はっ。ダメっすよ、その商品じゃ。いくらなんでも劇中で使うには無理がありますよ、カッキー先輩」

会議室に現れたのは、プリンスくんだった。

「やっぱり、ストーリーの中で使いやすい商品を持ってこなきゃ」

「――ということは、プリンス。つまり、アンタもクライアントに見栄を張っちゃったから、劇で商品を使ってほしいってことね」

萌さんは冷たい目でプリンスくんを見た。

「さすがは萌っち！　お察しの通りさ。でも俺が頼まれた商品は、ストーリーにパーフェクトにマッチするぜ。なぜなら、『ヴェニスの商人』には欠かせないアイテムだからさ」

「能書きはいいから。なんなのよ、プリンスが出したい商品は」

「――知る人ぞ知るナイフメーカー、土岐《とき》刃物製作所の新製品アーミーナイフＭＩＮＯ－55さ。これで一ポンドの肉を切り取るシーンでも、切れ味抜群でアントーニオの肉を切り取ることができるぜ！」

プリンスくんはナイフを取り出すと自信満々に言った。

「ちょっと待ちなさいよ、プリンス！　そのナイフで肉を切り取られたら、劇にならないじゃない」

「しかし、ブレイドはちゃんとダマスカス鋼でできていて、靭性《じんせい》も耐久性も抜群なんだぜ」

「知らないわよ、そんなの！」

萌さんが頭を抱えていると、また新たな人物が会議室へと入ってきた。

「――あっ、藤原さん。――ちょうど、よかった。――実は、お願いがある」

僕より年次がひとつ上の小倉定家《おぐらさだいえ》さんだ。

「もしかして、定家くんも劇にクライアントの商品を使うっていう約束をしたの？」

「――ああ。信玄《しんげん》薬品の新薬、局所止血剤スグトマールを、使って、ほしい」

「あ～。また、使いにくいものを」

「――そうでもない、と思う。――肉を切り取るシーンで、こんなセリフがある。『血は一滴も流してはならぬ』――この局所止血剤スグトマールを使えば、すぐに血が止まるから、血は一滴も流れずに、肉を切り取ることが、できる、はず」

「なるほど、そうか、局所止血剤を使えばこの切れ味抜群のアーミーナイフで肉をばっさりと……」

プリンスくんが、嬉しそうにナイフで切り取るシーンを再現していた。

「ダメ、ダメ、ダメーッ！　そんなことしちゃこの脚本のオチがめちゃくちゃになるじゃない！」

萌さんは大声でわめいた。

4

「プリンスくん、定家くん。二人とも駄目だぞ、萌ちゃんを怒らせちゃあ。ちゃんと劇を壊さないような商品を持って来なくちゃ」

そう言いながら会議室に入ってきたのは、マネージャーの大津さんだ。

「——そう言う大津さんも、どうせなにか商品を持ってきたんでしょう」

萌さんはチロリと大津さんを見た。

「さすがは萌ちゃん、鋭いなぁ。でも俺はクライアントに『商品を劇で使う』なんて一言も言ってないぞ。その代わり……」

「——その代わり、なによ」

「いやな、ちょっとだけその会社の宣伝をしてくれたらいいんだ。俺が主査をしている先に松浦《まつうら》汽船という会社があってな。『松浦汽船の船は安値・安心・安全運行だなぁ』という一言をセリフとしていれてほしいんだ」

「無理よ、絶対無理！」

萌さんは大きく首を横に振った。

「おいおい、そう決めつけるなよ。『ヴェニスの商人』だって、ちゃんと船の話があるだろう。アントーニオが貿易船に投資する話が」

「でも、その貿易船はストーリーでは全部難破するのよ。それでもいいの？」

「それは困る。難破させないでくれ。観に来るクライアントに会わせる顔がない」

大津さんの言葉に、萌さんはキレかけていた。

「あのねえ……アントーニオの船が難破するから、シャイロックに借金が返せなくなって、人肉裁判の話になるのよっ！」

「いや、だから、そこをなんとかだな……」

大津さんが萌さんに頼み込んでいると、会議室に代表社員の山上さんが入ってきた。

「山上さ〜ん。いいところに来てくれたわ〜。みんなに言ってやってくれない？『クライアントにいいところを見せようとして、劇をメチャクチャにするのはやめろ』って」

萌さんはすがるような目で山上さんを見た。

しかし、山上さんはそれを無視するかのように言った。

「実はな、萌実くん。私のクライアントに東海道ツーリストという旅行会社があるんだが、今度『そうだ、大文字焼きを観に行こう』というキャンペーンを大々的にやるらしくてな。なんとか劇の中にそのキャンペーンを織り込めないだろうか」

「な、なにを言っているのよ、山上さん！　そもそも、この『ヴェニスの商人』の舞台は中世イタリアの都市ヴェニスなのよ。京都なんて劇に出てきようがないじゃない！」

萌さんの怒りに対して、山上さんは冷静に言った。

「では、舞台をヴェニスではなく京都に変えればいいではないか」

「……『ヴェニスの商人』じゃなくて『京都の商人』になるわけ⁉」

「そうだ。どうせ日本人が演じるのだから、そのほうが違和感もなくてよかろう」

「なるほどねえ……って、そんなわけないじゃないの！」

「そうそう、萌実くん。舞台を京都に変えるだけじゃなくて、ちゃんと〝大文字焼き〟も入れてくれたまえよ」

山上さんは念を押すように言った。

「もういい加減にしてよ‼」


公演まであと一カ月。

僕らが演じる『ヴェニスの商人』は、こうして原作から大きく修正を迫られることになったのだが、萌さんの驚異的なパワーで無事台本が仕上がった。

そして『公認会計士が演じる　ヴェニスの商人（京都編）』という訳の判らない題名で、

舞台の幕が切って落とされたのだ。

5

すでに劇は三十分前にはじまっている。

会場のロビーで、僕はキョロキョロしている紀野《きの》さんを見つけた。

「紀野さん、紀野さん。こっちですよ」

僕が大きく手を振ると、紀野さんが、こちらに駆け寄ってきた。

紀野さんも同じチームの仲間だが、なにかと忙しい身なので、今回の劇には参加できなかったのである。

「柿本、お前こんなところでなにをやっているんだ？　もう劇ははじまっているんだろう。仲間はずれか？」

「ち、ちがいますよ。僕は、舞台を設営したあと、会場整理のほうを任されているんです」

「なるほどな。お前、役者向きじゃないもんな。だから、いまはこうして遅れてきた人の案内をしているわけだ。それで、萌ちゃんの劇はどうなっている？」

「いま中盤を過ぎたあたりです。いまからなら、まだ大丈夫ですよ」

「わかった。じゃあ、席へ案内してくれ」

僕は会場の扉を開けた。

五〇〇人収容の区民ホールが満席になっている。

「ま、満席かよ。すごい人気だな、柿本」

「ええ、まあ、その、いろいろな事情がありまして、素直に喜べないというか、なんというか……」

僕たちは、そのまま会場の後ろで立って観ることにした。

舞台の中央では、ちょうどアントーニオとシャイロックの裁判のシーンがはじまっていた。

そこにバサーニオ役のプリンスくんが駆け込んできた。

バサーニオ「ま、まってくれ。銭ならここになんぼでもあるんや。借金なら三倍にして返したるで、シャイロックはん」

プリンスくんの熱演に、シャイロック役の大津さんも熱演で応じた。

シャイロック「あきまへん！　そないなこと、あきまへんで。ぶぶ漬けでも食べてお帰りなはれ」

「……か、柿本。いったいなんだ、この変なセリフは……」

紀野さんはあ然とした様子で、僕に尋ねた。

「あー。この劇、大人の事情で舞台が京都になってしまったので、みんな京都弁をしゃべっているんです」

「……どうでもいいが、ウソくさいな、この京都弁」

バサーニオ「市場金利である無担保コールレート（オーバーナイト物）が〇・五％。短期プライムレートが一・八七五％の時代に、元金の三倍出すと言ってるんやで」

シャイロック「わては、証文どおりに商売がしたいだけでおます。早くアントーニオはんの肉、一ポンドを切り取らせてくれまへんか。こっちは貸付金が滞留して困っているんや」

バサーニオ「そりゃ、あんさん、航海には危険がつきものやで。アントーニオに貸しつけるんやから、引当金はたっぷり積んでおかな話にならんで、ほんまに」

「……時代も場所もまったくわからないぞ、おい」

紀野さんはツッコミを入れた。

「……会計の話も強引に入ってきていますしね」

僕は観客のみんなに申し訳ない気持ちになってきた。

そして、舞台のソデから男装の麗人が登場した。

ポーシャ姫役の萌さんだ。

萌さんは、ちゃっかりおいしい役を演じているのだ。

ポーシャ姫「こほん。わたーしは遠い国からきた優秀な若手会計士。公爵、わたーしにこの裁判を任せてくださーい」

公爵「うーん。会計士か。法学者のほうが適役だと思うが……」

ポーシャ姫「お言葉ですーが、わたーしは会計士だから会社法と金融商品取引法には詳しーわ。あと、民法選択だかーら、契約も債権もバッチーリよ」

公爵「まあ、いないのなら仕方あるまい。うむ、そちに任せるぞえ」

「……おい、ツッコミどころ満載で、もうどこから指摘すればいいのか、俺はわからんぞ」
　ツッコミ体質の紀野さんはそうボヤいた。

ポーシャ姫「では、わたーしが裁判を行うわよ。アントーニオ、前に出なさーい」
アントーニオ「ははっ」
ポーシャ姫「あーんた、シャイロックが持っている証文は本物なーの？」
アントーニオ「た、たしかにわたしめが書いたものでんねん」
ポーシャ姫「じゃあ、仕方ないわーね。シャイロックに肉を一ポンド差し出しなさーい」
シャイロック「うひゃ、ひゃ、ひゃ。ありがとうございますなあ。若いとはいえ、さすがは会計士さんどすわ」
ポーシャ姫「でーも、一ポンドちょうど切り取るのは難しいわよーね——そうだ。わたーし、精肉工場の往査で、お肉を切ったことがあるのよーね。わたーしが切らせてもらうーわ。この土岐刃物製作所の新製品〝アーミーナイフM－NO－55〟でねー」
アントーニオ「そ、それはブレイドがダマスカス鋼で、靭性《じんせい》も耐久性も抜群でっせ……」

ポーシャ姫「あっ、もしかしーたら、切れ味が抜群だけにわたーしが怪我をするかも……ううん、でーも大丈夫。私には信玄薬品の新薬〝局所止血剤スグトマール〟があるから、血がドバドバ出てもすぐに止まるわーよっ」

ポーシャ姫は両手にナイフと薬を持ち、客席に見せつけるように高く掲げた。

すると一部の客席からワッと歓声が上がり、意外にも盛り上がった（きっと、これらの製品をつくっている社員の方々が歓声を上げたのだろう）。

「あーあ、萌さん。これじゃ、もう収拾がつかないですよ。それにしても、萌さんは関西出身なのに、なんで京都弁をしゃべらないんだろう？」

ポーシャ姫「では、わたーしがアンタの肉を切り取るわよ。えっ、切り取ったらどうするのかーって？　それはもちろん焼肉にして食べるわーよ。タレはもちろーん李氏食品の焼肉のタレ！」

「うおーっ!!」という歓声が上がった。客席を見ると、僕のクライアントの方々が立ち上がって拍手をしていた。一体、この劇は誰のためになにを演じているのだろうか……？

ポーシャ姫「――切り取った肉を焼肉にするのもいいけど、人を焼いてから肉を切り取ってもいいと思わなーい？　シャイロック」
シャイロック「と、おっしゃいますと？」
ポーシャ姫「つまーり、人を焼いてから一ポンドの肉を切り取ったほうが簡単だし、どうせ焼肉にするなら手間も省けるということーよ。どーかしら？」
シャイロック「まあ、なんて残酷なことを考えはるんやろう、このお人は。まあ、結果が同じになりはるんやったら、わては別にかまいしまへんで」
ポーシャ姫「じゃあ、証文の文言も『一ポンドの肉片を切り取る』から『人を焼く』に変えーるわよ」
シャイロック「ええでっしゃろ」
ポーシャ姫「――裁判は決したーわ！　みんな、こっちを見ーて！」

ポーシャ姫は背後を指差した。舞台の背景には、〝京都らしく〟ということで京都の山々が描かれている。
そして、その山の一部が燃え出したのだ。

シャイロック「やや、これは！」
ポーシャ姫「山が燃えているのーよ。これーが、京都名物、五山の送り火〝大文字焼き〟！」
　舞台の照明が落ち、背景の燃えている山々がよく見えるようになった。妙法・鳥居形・船形・左大文字、そして大文字。
シャイロック「……立派やけど、これがなんですねん？」
ポーシャ姫「これをよく見るのーよっ！」
　ポーシャ姫は五山のひとつを指さした。観客も全員注目する。
ポーシャ姫「どう、なにかおかしくない？」
　おかしい。たしかに、おかしい。大文字の文字が、ちゃんと焼けていないのである。

「大」の字の横棒が焼けていない。

シャイロック「こ、これでは、〝大〟文字焼きではなく、〝人〟文字焼き……」

ポーシャ姫「おーっ、ほっ、ほっ、ほーっ。ご覧なさーい、シャイロック。たしかに約束どおり〝人〟は焼かせてもらったーわ。〝人〟はアントーニオだ、なんて特定しなかったもんねぇ。あっかんべー」

「萌さん、これじゃ、子供のケンカですよ……」

そして、ポーシャ姫は最後に次のひと言をつけ加えた。

ポーシャ姫「――ちなーみに、あっちで燃えている〝船形〟は、安値・安心・安全運行の松浦汽船の船そっくりよねー!」

エピローグ

「ふー、疲れたわね。どうだった、カッキー、観客の様子は?」

終了直後の楽屋で、汗を拭きながら萌さんが尋ねた。

「……」

「カッキー、聞こえているんでしょう！　返事をしなさいよ」

「……僕も含めて、みんなキツネにつままれた気分ですよ。そういえば、小学生の女の子が『ママ、ヴェニスの商人ってこんな話だっけ？』と質問して、母親が困った顔をしていましたよ」

「うーん。もしかしたら、バレちゃったかもね……」

「もしかしなくても、原作から逸脱しているのはバレバレです!!」

「なによ。これもある意味〝冒険会計〟じゃない！」

「……いや、単に冒険しすぎた会計士の惨劇ですよ……」

［9］冒険事業会計（venture accounting）とも呼ばれる。この時代はまだ、期間ごとに区切られる期間計算（継続企業）ではなく、区切らない非期間計算（当座企業）であった。一航海＝一企業だったのである。

おまけファイル2

〈女子大生会計士、はじめました〉事件

——むかしの話——

1

「なあ、モエゾウ」

原保昌《はらやすまさ》は同期の藤原萌実に声をかけた。

「——なに?」

萌実は書類に目を落としたままで、そっけなく答えた。いつものことなので、保昌は気にせずに続けた。

「あのな、今月の『ウラ監査ニュース』見たか? モエゾウが写ってんぞ」

保昌は手にしていた新聞をガサガサと机に広げた。

そこには〝第七回　ミス監査法人　候補者決まる！〟という文字が躍っていた。

「なに、これ」

うつむき加減に廊下を歩く自分の写真を見て、萌実はムッツリとする。

「だから、選ばれたんだよ。モエゾウが今年の候補者五人のうちの一人に」

「私、こんな写真知らない」

「そりゃそうだろうよ、隠し撮りなんだから。『ウラ監査ニュース』自体、誰が発行しているのかよくわからない非公式の新聞だしな。〝ミス監査法人〟だって、職員のちょっとしたお遊び。でも一年で一番盛り上がる企画なんだとよ。それに選ばれるなんて、すごいな、モエゾウ」

「どこが？　単に迷惑なだけじゃないの」

「やれやれ。相変わらず、モエゾウはノリが悪いなあ」

保昌はそう言うと、立ち上がってどこかへ行った。

萌実はそばに残った新聞を見た。そこには〝Ｊ１のなかで人気ナンバーワン。隠れファンも多い藤原萌実は、あの史上最年少会計士〟と書いてある。

萌実はそっと、ため息をついた。

2

萌実はもう、うんざりしていた。

誰もが自分のことを好奇の目で見る。小さい頃から人目を引く容姿で、学校でも目立っていた。望んだわけでもないのに、いつの間にかクラスのマドンナになっていて、女子のリーダーの反感を買い、イジメにあったことだってある。

頭もいい。運動もできる。

それを自慢に思える性格ならよかったのだが、萌実はそうではなかった。別に注目してほしくなかった。注目されていれば、やっぱり無様なところは見せたくはない。それで身なりに気をつかったり勉強を頑張ったりすれば、〝気取っている〟〝ガリ勉〟とまた反感を買う。悪循環だったのだ。

悪循環のはじまりは、人より優れていることだ。

贅沢《ぜいたく》かもしれないが、萌実にはそれが神様からのプレゼントだとは思えなかった。

もっと普通でよかったのに。

何度もそう思った。

「将来は東大に行って女優にでもなるつもり？」

そう嫌味を言われたとき、絶対に東大に行ったりするもんか、と思った。これ以上特別視されるのはまっぴらだった。

結局、大学自体に行かなかった。姉の影響もあって会計の道を志し、商業高校に進んだのちは会計の勉強に没頭、高校を卒業した年に会計士試験に合格したのだ。

とにかく早く社会に出てしまいたかった。そうすれば、同世代からの子供じみたやっかみから解放されると思った。

——ところが、現実は違った。

萌実には、〝史上最年少会計士〟という冠がついてしまった。大学に行ったほうがまだマシだった。事務所内の誰もが自分のことを好奇の目で見る。

おまけに——。

萌実はもう一度、広げたままの新聞にチラリと目をやった。

これだ。なにが〝ミス監査法人〟だ。このうえ、容姿でまで騒がれるのは本当に嫌だった。

隠し撮りも、萌実を不快な気持ちにさせた。高校でも萌実の隠し撮り写真が売買されて問題になったことがあり、萌実はゾッとしたものだった。見知らぬ人間が自分の写真を持っているのだけでも気持ち悪いのに、覗《のぞ》きをするように写真を撮られるなんて、恐怖以外のなにものでもない。

そんな悪夢が、ここまで追いかけてくるなんて思わなかった。

みんなが自分のことを目で追う。だけど、自分はみんなのことを知らない。

同期はなにかと話しかけてきたが、好奇心丸出しであれこれ質問されるのがうっとうしくて、まともに返事をしたことはあまりなかった。

ここ数年、ずっと試験勉強のために生活を犠牲にしてきた。人と関わることは勉強の邪魔でしかなかった。そしてその間に——人とのつきあい方を忘れてしまった。

東京に出てきてまだ日も浅い。年齢も十代なのは自分しかいない。自分から声をかけることはなく、人から声をかけられるのも苦手。だから——友達もできない。

萌実は新聞を手に取ると、クシャクシャと丸めてゴミ箱に捨てた。

3

萌実はいつものように、ビルの前にある公園でお弁当を広げていた。先輩や同期と気づまりな昼食時間を過ごすよりも、一人のほうがよっぽど落ちつける。

「あなた、いつもここに座って食べているのね。ここで食べるとそんなにおいしいの?」

萌実が驚いて顔を上げると、目の前には綺麗《きれい》な女性が立っていた。二十代後半だろうか、肩までかかる茶色の髪が陽の光で輝いていた。

萌実は咄嗟《とっさ》に、注意されたのだと思った。公園での飲食は禁止だったのだろうか。

「すみません。いまどきますから」

すると、女性はふふふと笑って萌実の横に腰を降ろした。

「ノンノン、私は立ち退き屋じゃないわよ」

そう言って、ヒョイと萌実の弁当箱を覗き込む。

「おいしそうねー、手作り?」

ゴックンと喉《のど》を鳴らしながら言われて、萌実は思わず弁当箱を差し出した。

「――どうぞ。好きなだけ食べてください」

「あっ、ほんと? ラッキー。いっただっきまーす」

本当に食べだした。

最初は卵焼きやらハンバーグやらを手でつまんで食べていたのだが、「ご飯も食べたいなー」と言うと、萌実の箸《はし》を取り上げて、なんと全部平らげてしまった。

「……」

萌実はあ然とした。

一体この女性はなんなのだろう？

「あー、おいしかった。ごちそうさまー……でも、あなたの昼食がなくなっちゃったわね。じゃ、おごるから事務所の地下の喫茶店にでも行きましょうか……藤原萌実さん？」

萌実は顔色を変えると、空になった弁当箱を手早く片づけ、立ち上がった。

その手を、女性がつかむ。

「逃げるの？」

「——あなたは事務所の先輩なんですか」

「そうよ」

「いつも私がここで食べているのを知っているということは、見張っていたんですか？」

するると、女性は一瞬目を見開いて、それからゲラゲラと笑い出した。

「やっだー、私だってそこまで暇じゃないわよー……あなた、自意識過剰なんじゃない？」

萌実はカッと頬を染めた。

「あら、かわいい顔。うふふ、ちゃんとそんな表情もできるんじゃない」

ニッコリと微笑むと、女性は萌実の腕をつかんだままの手をクイッと引き、萌実はぺたんとベンチに座りなおす派目になった。

「いーい、藤原萌実さん……えーい、長いわね。あなたのあだ名、なんだったかしら」

「……モエゾウです」

同期がいつの間にかつけたあだ名だった。

「そうそう、モエゾウ。いーい、あなたが思うほどみんなあなたのことなんて気にしていないし、見てもいないのよ。そりゃ、若くてかわいくて頭もいいんだから気にはなるし、ジロジロ見ることもあるかもしれないけど、そんなのはねえ、一瞬だけなのよ」

「――でも、私が〝史上最年少会計士〟だなんだと値踏みされることに変わりないじゃないですか」

「あっは、だってしょうがないじゃない。あなた〝史上最年少会計士〟なんだもの」

女性はアッサリ言って、萌実を驚かせた。

「モエゾウ、あなたはどうあがいても〝史上最年少会計士〟で若くてかわいいのよ。そこから逃げてもしょうがないわ」

「逃げてなんか……」

「いないの？」

「……」

「逃げてもなにも生まれないわ。ホラ、よく言うじゃないの、『逃げちゃダメだ！　逃げちゃダメだ！』って。あれ？　これなんの格言だったかしら？」

「……アニメのセリフじゃないんですか」

「そうだったかしら。まあいいわ、とにかく、このままじゃあなた、会計士としてやっていけなくなるわよ」

真顔で言われて、萌実は目を伏せた。

「……わかってます」

会計士というのは、もっとコツコツした仕事をするのかと思っていたら、意外にもチームワークやヒアリング能力が大切な職業だった。上司にも人当たりの悪さを注意されていたし、萌実は早晩、自分が会計士として行き詰まることを理解していた。

「あら、なんだ、わかっているの。ふーん、わかっているけど、うまくできない。そんなお年頃なのねー」

女性はしみじみと言うと、目をつぶってウンウンとうなずいた。

萌実は驚いた。これまでにも同じようなやり取りを上司や先輩としてきたが、たいていは「わかっているなら、なぜ努力しない！」と怒られてきた。理解を示されたのは初めてだったのだ。

「モエゾウ、人と話をするのは苦手？」

「苦手、です……でも、あなたと話すのはそんなに嫌じゃないみたい」

「あら、嬉《うれ》しい。それはやっぱり私があなたに負けないくらい美しくて賢いからかしら！」

「……そ、そうですね」

確かに彼女は、萌実よりもよほど女性としての魅力にあふれていた。が、それを自分で堂々と言う人も珍しい。

「で、モエゾウは注目されるのも嫌なわけだ」

女性がカバンから、クシャクシャになった新聞を取り出して、目の高さまで上げた。萌実は、自分が捨てた『ウラ監査ニュース』であることに気づいて、アッと声をあげた。

「ね、このイベントがそんなに嫌なら、ぶっ壊してあげようか？」

「えっ？」

「〝ミス監査法人グランプリ〟をぶっ壊してあげる、って言ったのよ」

「そんなこと、できるわけ……」

「できるわよ、絶対。そ・の・か・わ・り、もしできたら私の言うことをひとつ聞いてくれる？」

彼女は萌実にある要望を告げた。

「――なぜ？」

萌実は眉《まゆ》を寄せた。そんなことをして、彼女になんの得があるのかわからない。

「まあまあ、いいじゃない。検討してみるだけでもいいから。ね？」

「……わかったわ。検討するだけなら」

「やった、約束ね！　じゃあ、とりあえず喫茶店にご飯食べに行こっ」

女性はさっさとビルのほうに向かう。萌実は彼女が『ウラ監査ニュース』をベンチに置きっぱなしにしたことに気づき、あわてて手を伸ばした。

萌実の手が止まる。

そこには、女性の写真があった。写真の横には〝現・ミス監査法人　前人未到・空前絶後の四連覇なるか⁉　会計士業界の女神様　氷高元美《ひだかもとみ》〟と書いてあった。

4

翌日、萌実のもとに「緊急指令」という件名のメールが届いた。元美からである。開くと、「事務所内の〝ミス監査法人投票箱〟を本日中にすべて破壊せよ！」と書いてある。

「……」

一瞬、無視しようかと思ったが、あの人のことだ、「やっだー、なんでちゃんとやらないの？　メッ！」とかなんとか言って乗り込んできかねない。萌実はため息をひとつつくと立ち上がった。

とりあえず手近な同期をつかまえて、投票箱がどこにあるのか聞いてみる。

「投票箱？　……まさか萌ちゃんも投票するのか？」

穏やかな気質の彼は、萌実のことを「モエゾウ」ではなく「萌ちゃん」と呼んでいた。

「……違うけど」

「そうだよな。いくつかあるみたいだけど、俺が見たのは……」

彼は三箇所ほど挙げた。

「ありがとう」

萌実が礼を言って立ち去ろうとすると、彼が「萌ちゃん」と呼び止めた。

「萌ちゃんから話しかけてくるなんて、珍しいな。なにか困ったことがあるんなら、言ってくれよ」

「……ありがとう」

萌実はそれ以上なんと言っていいのかわからなくて、足早に立ち去った。

――嬉しかった。

他の同期にも聞いて、結局五箇所に設置されていることがわかった。

言われた場所に向かうと、空き箱で作られた投票箱があった。萌実はホッと胸をなでおろす。これなら破壊は容易だろう。プラスチック製とかじゃなくてよかった……。

しかし、問題は人通りの多さである。

当たり前かもしれないが、スタッフルームの一番目立つ場所に置いてある。

困った萌実がその前にたたずんでいると、通りがかった女性の同期が話しかけてきた。

ちなみに同期と言っても、彼女に限らずみんな年上だ。

「どうしたの、モエゾウ？」

萌実は困った。困ったがこの箱をジッと見ていたのはバレバレである。

「ええと……ちょっと、この箱を壊したいな、と思って……」

困った挙句に萌実が正直に言うと、彼女は少し驚いた表情で投票箱を見た。

「ふうん……わかった。手伝ってあげる」

「えっ」

「壊したいんでしょ？」

「う、うん」

萌実が返事をすると、彼女はキョロキョロと辺りを見回した。

「いま、誰もこっち見てないから。二人で囲めば見つからずに運び出せるでしょ」

結局、彼女と一緒に投票箱すべてを女子トイレに運び込み、破壊した。中の投票用紙はまとめてシュレッダーに放り込んだ。

胸がスッとした。

「ま、いまどきミスコンなんてセクハラよね。だったらミスター監査法人もやれって話よ」

同期はそう言うと、じゃあねと去って行った。萌実は、お礼を言っていないことに気がついて、あわててその背中を追いかけた。


翌日。

萌実は監査先から戻り、スタッフルームで残業していた。萌実たちのようなスタッフは、席が特に決まっておらず、その日によってスタッフルームの好きな場所に座る。萌実がいつものように隅っこに座っていると、隣の席から男性の会話が聞こえてきた。

「おい、知ってるか、『ウラ監査ニュース』の話」

「ああ、あの燃やされてたってヤツだろ？」

萌実のパソコンを打つ手が止まった。

も、燃やされた？

「過激だよなー。誰がやったのかな」

「燃やされてたのは、〝ミス監査法人グランプリ〟のページだけなんだろ？　ミスコン反対者じゃねえの」

「誰が反対するんだよ？」

「だから……投票されない女とか、元美さんの彼氏とか……」

「彼氏⁉　女神って恋人いるのか⁉」

「知らねえけど」

萌実は聞いていてクラッとした。

元美だ。

犯人は絶対にその元美に違いない。

動揺を抑えつつなんとか仕事を終わらせ、最後にＦＡＸをしにいくと、カタカタと音をたてながら受信している最中だった。終わるまで待とうと何気なく見ていると……。

「⁉」

萌実の目は点になった。

「萌実くーん、ワシあてのＦＡＸあるかい？　そこに届くらしいんだが」

代表社員の山上がのんびりと近づいてくる。

萌実はあわてて受信したばかりのＦＡＸを後ろ手に隠した。

「ん？　どうしたんだ？」

「な、な、なんでもありません、山上さん」

「それ、ワシあて？」

山上が萌実の後ろを覗《のぞ》き込む。

「ちっ、ちっ、違います、私あてです」

「なぜ隠すんだね？」

「それは……その……あの……じ、実は、私あてのラブレターなんです！」

萌実が絶叫すると、その場がシーンとなった。見れば、残っていた周りのスタッフが全員こちらを見ていた——。

5

翌日の昼休み。萌実は例の公園に元美を呼び出した。

「元美さん、なんなんですか、これは！」

萌実が手にしているのは、昨夜のＦＡＸだった。そこには、『ミス監査法人グランプリをやめなければ、このビルを爆破するぞ！』とデカデカと書いてあった。

「あら？　どうしてモエゾウがそれを持っているの？　山上さんに送ったのにー」

「私が回収したんです！　この付近には官公庁も多いんだから、こんなのが代表社員の目に触れたら、大ごとになるじゃないですか！」

「だーって、それくらいやらなきゃ、私たちの気持ちは伝わらないじゃない。あーあ、せっかく遠くのコンビニまで行って送ったのにな～」

ぷうっと頰を膨らませる元美に、萌実はＦＡＸを突き出した腕をプルプルと震わせた。

「まだあります。『ウラ監査ニュース』を燃やして歩いたのも、元美さんですよね。今朝はスタッフルームに『ミス監査法人グランプリ反対！』のビラが撒《ま》いてあったって聞きました。投票箱を破壊しろって言ったり、学生運動じゃないんですよ？　明らかにムチャじゃないですか！」

「チッチッチッ。わかってないわね、モエゾウ。ムチャでもなんでも、作戦はいろいろやらなきゃダメなのよ」

「どうしてですか！」

「たくさん作戦を立てて実行していかなきゃ、どれが成功するかわからないじゃない。作戦っていうのはね、一〇個試して一個でも成功したら御の字なのよ！」

胸を張る元美に、萌実は腕を下ろすとガックリとうなだれた。

「っていうことは、こんなムチャな作戦が、あと六個もあったんですね……」

「それにね」

元美はひと呼吸おいた。

「私、あなたと一緒にいろんなことをしたかったのよ」

元美に覗き込むように言われて、萌実は真っ赤になった。

「うふ、かわいい」

元美は嬉《うれ》しそうに言うと、萌実の頰を両手で引き寄せて、ちゅ、と口づけた。

「ぎゃ〜〜！　な、なにするんですかっ」

萌実はキスされた頰を押さえながら叫ぶ。

「だあって、かわいいんだもの。あ、私にそっちのケはないから、安心してね」

「どっちのケですか！」

萌実が怒ると、元美はケラケラと笑った。

「モエゾウ、あなたいつもそんな顔をしていればいいのに」

「え?」

「それに、まさか本当にその日のうちに投票箱を全部破壊するとは思わなかったわ——あなた、本当はかなりヤンチャなんでしょう」

「え……」

本当は……?

「——そういえば……小さい頃はオテンバだったかな……」

その後、周りを気にして自分を抑えるようになったのとともに、母親が死んだり姉が死んだりしたことで、急に妹や父親の面倒を見ることになって、ますます〝素の自分〟を抑えるようになった気がする。

「なんだか、あなたにはオテンバのほうが似合っている気がするけど」

「……元美さんみたいに?」

「あっは。そうね、私みたいに」

「でも、私は〝特別な目〟で見られるのが嫌だったんです。それなのに、元美さんみたいな〝特別な行動〟を上乗せしたら、余計に特別視されちゃう」

「そうお? 〝特別〟に〝特別〟を掛け合わせたら、案外、相殺されて〝普通〟になるかもしれないわよ?」

「そんなわけないじゃないですか！」

「でもね、ひとつだけたしかなのは、特別だとか特別じゃないとかは、人がそれぞれ好き勝手に決めるものだ、っていうことよ。少なくとも私には、あなたはカワイイ後輩にしか見えないわ。だから、私は別にあなたのことを特別視したりしないわよ。これから先も、ずっとね」

元美はパチリとウインクを決めた。

「元美さん……」

「それにね。その大きな目を見開いて、周りをよく見てごらんなさい。いままで見えなかったものが、見えてくるかもしれないわよ――」

6

その後も元美の〝ミス監査法人グランプリ妨害工作〟は続き、グランプリの運営をしている『ウラ監査ニュース』編集者のカメラを破壊したり、新しく設置された投票箱にビラを貼り付けたりしていた。

新しい投票箱は、スタッフルームに大きめのものが一個だけ置かれ、棚にガムテープでグルグル巻きに固定されていた。

反対運動のことはもはや事務所内の全員が知っており、理解を示して投票を自粛する者もいれば、かえって盛り上がって大勢で投票に来る者もいた。

投票締め切りの前日。

萌実は、一人、また一人と投票していく様子をスタッフルームの隅で眺めながら、小さくため息をついた。

先日の中間発表によれば、萌実と元美がトップを争っているようである。その二人が反対運動の首謀者だとは、誰も思わないだろう。

「モエゾウ」

仕事に戻ろうとした萌実は、名前を呼ばれて顔を上げた。

保昌など、同期が十名ほど集まっていて萌実は驚いた。

「……なに？」

「ちょっと話があるんだけど、いいか？」

硬い表情の彼らに会議室に連れ込まれて、萌実は内心うろたえた。

オマエ、生意気なんだよ！　とかいって吊《つ》るし上げられるのだろうか。まさか、いくらなんでもそんな中学生みたいなこと……。

「なんなの、こんなところに連れて来て……」

萌実が動揺を隠しながらそう言うと、保昌が代表で口を開いた。

「――モエゾウ、ミス監査法人の反対運動してるのって、お前だろ」

「……」

投票箱破壊には同期の力を借りたから、萌実が犯人だと、彼らなら気がついてもおかしくなかった。

「ビラを撒いたり、『ウラ監査ニュース』を燃やしたり、投票箱の口のところに激辛唐辛子を塗ったり、投票箱の中に無数のゴキブリを入れたり……お前って意外と過激なんだな」

「ゴ……ゴキブリ!?」

元美さん！　と萌実は心の中で叫んだ。妨害工作というより、子供のイタズラだ。

「――なんだよ、お前じゃないのか？」

保昌に不審そうに言われて、萌実は答えに窮した。まさか元美が犯人だと言うわけにもいかないので、結局萌実は黙っていた。

すると、投票箱の位置を教えてくれた深草《ふかくさ》が横から口を出した。

「萌ちゃん、カメラの破壊はさすがにやり過ぎだったよ。あの人、俺のチームの先輩なんだけど、かなり怒っていたよ」

そういう深草自身が怒っているようだった。

萌実は、「困ったことがあるんなら、言ってくれよ」と彼に言われたことを思い出す。同じ口で、こうして自分を非難していることが、とても悲しかった。

萌実がうつむいて唇をかみしめたとき、深草はきつい口調で言った。

「なんで、そんなことする前に俺たちに言わないんだ⁉」

「——え？」

萌実は顔を上げた。

「あのとき、困ったことがあったら言えって言ったろ？」

照れたような顔をしながら怒る深草を、保昌がまあまあとなだめる。そして、保昌はなにやら二、三枚の紙をファイルの中から取り出した。

「とにかく、お前がそこまで嫌なのはよくわかった。だから、俺たち同期全員の署名を集めてきたんだ」

そう言って保昌が差し出した紙には、同期三十人全員の署名が並んでいた。冒頭には「ミス監査法人グランプリ中止嘆願署名」とタイトルがうってある。

「俺、今晩事務所に泊まりこんで、誰も見ていない隙に投票箱の中身とこの反対署名を入れ替えてやろうと思うんだ。どのくらいの効果があるかわからないけど……お前が一人で危ない裏工作をするよりマシだろ？」

「保昌くん……みんな……」

萌実はその場にいた全員を見回した。

一緒に投票箱を破壊したコが笑っていた。深草は「水くさいじゃないか」とブツブツ言っている。

萌実は、いますべてに気がついた。

みんながなにかと萌実に声をかけてくれたのは、別に好奇心にかられていたからではない。きっとひとり年の離れている萌実を気づかってくれ、なごませようとしてくれたのだ。

多分、「モエゾウ」とあだ名をつけてくれたのだってそうだ。

萌実は急に自分が恥ずかしくなった。

——あなた、自意識過剰なんじゃない？

元美に言われた言葉を思い出す。

たしかにそうだ。

萌実が必要以上に意識して、せっかくの好意を受け取れなかっただけなのだ。

「——ま、こんなことしても、お前には迷惑かもしれないけどさ」

黙ったままの萌実に保昌が困ったように言うと、萌実はブンブンと首を横に振った。

「ううん、迷惑じゃない。ありがとう……」

萌実が言うと、その場の空気がやわらかくなった。保昌が後ろの面々を振り返る。

「じゃあ、そういうことで、この署名は俺が預かるから」

そのとき、萌実にひらめくものがあった。

新入りの会計士補であるJ1《ジェイワン》全員の署名。これだけの頭数。

「ちょっとまって」

保昌が振り向く。

「モエゾウ？」

できるだろうか？

そんなことをして、また悪目立ちしないだろうか？

でも、元美ならやるだろう。

自分も、元美のようになりたい。うつむかず、人の好意を素直に受け取れるようになりたい。

「私に、考えがあるの——」

この年のJ1は伝説になった。

ミス監査法人グランプリの投票締め切り前日の夜、もっともスタッフルームに人が多い時間帯に彼らが徒党を組んでやって来て、投票箱を破壊したのだ。

あわてて飛んできたグランプリ運営者を、フラッシュの閃光《せんこう》がつつんだ。

「ふーん。アンタたちがこのふざけたグランプリの開催者なのね。ああいやだ、オタクっぽい奴らばっかりじゃないの」

萌実はカメラを片手に、仁王立ちになって言った。

「なんだ、きみは——そうか、ビラを撒《ま》いたり俺のカメラを破壊したのも、きみなんだな？」

「そんなこと知らないわよ。ばっかじゃないの。だいたいにおいてね、いまどきミスコンなんて時代遅れなのよ。セクハラもいいとこだわ。人のこと隠し撮りしたりして、気持ち悪いったらありゃしない。っていうか、アンタたち、こんなことばっかりしてるからどうせ仕事ができないんでしょ！」

「なっ、なんだと⁉」

「あ・の・ね、いますぐこのふざけた投票箱を始末しなさい。さもないと、J1全員の反対署名と一緒に、肖像権の侵害とセクハラで人権啓発室に言うわよっ！」

相手はひるんだ。

人権啓発室とは、人事部にある組織のひとつで、パワハラ、セクハラなどについての相談窓口になっている。人事部直結なので、問題にされれば当然評価に響いた。

「さあ、どうなのよ！」

萌実は署名とカメラを前に突き出した。

さきほど萌実に写真を撮られたので、逃げ隠れすることもできない。おまけに、こう大勢の前で糾弾されては、署名を奪ったりすることもできない。

彼はうなだれて言った。

「――わかった、グランプリは中止にしよう」

その場にいたJ1から、わっと歓声があがった。

以後、ミス監査法人グランプリが開催されることは二度となかったのである。

7

「それで、あの件は考えてくれた？　約束通り、ミス監査法人は取りやめになったんだから」

例の公園で、買ってきたお弁当をつつきながら元美が言った。

「――結局あのグランプリを中止にしたのは、元美さんじゃなくって私のような気もするんですけど」

「あらあ。でも私が地道な妨害工作を続けたおかげでもあるじゃない。それに……聞いたわよぉ。あのときのあなた、〝まるで氷高元美がのりうつったみたい〟だったそうじゃないの～」

萌実はカアッと赤面した。

あのときばかりではない。実は、自分がだんだん元美に似てきたような気がする今日この頃なのだった。

「まあ、だから半分は私のおかげってことで。考えてくれてもいいでしょ？」

「――私が大学に通うっていう話ですか」

「そう。同世代と一緒に過ごすのもいい勉強よ。大人たちとの仕事だけじゃ、決して得られない経験がたくさんできるわ」

「じゃあ、私にこの監査法人を辞めて、大学に行けってことですか？」

「え、そんなこと言ってないわよ？　若い女の子がいるっていうだけで、職場が明るくなるんだから、辞めてもらっちゃ困るわ」

「私は職場を明るくするための道具かなにかなんですか！」

「うーん。それは正しくもあり、間違いでもあるわね」

「？」

「あのね、組織っていうのは、一人ひとりが『明るくしよう、働きやすい雰囲気にしよう』って努力しなきゃ成立しないのよ。そりゃねえ、会計士試験で組織論といえば官僚制とか科学的管理法とかだったかもしれないけど、実際の組織で大事なのはチームワークとか雰囲気なのよ。組織のメンバーっていうのは〝仲間〟なんだから」

仲間――。

そうだ、保昌たち同期が萌実のことを気にかけてくれたのも、萌実を〝仲間〟にしたかったからだ。それ以外にジロジロ見る人が多かったのだって、もしかして心配してくれていたのかもしれない。元美のように。

「元美さんも、私を〝仲間〟にしようとして、世話を焼いてくれたんですね」

「ふふ、そうよ。だって私、もうすぐあなたのいるチームに移るんだもの。雰囲気悪かったら嫌じゃない。主査としてバリバリこき使ってあげるから、覚悟しておいてね！」

「は、はい」

「……なんちゃって、本当はかわいい子がポツンと一人でいるのを放っておけなかっただけなんだけどね。おせっかいよね、私って」

元美はペロリと舌を出した。

「いいえ……そんなことありません。でも——元美さんの言うこともわかるけど、大学に通いながら会計士なんて、やっぱりムチャです。ただでさえ忙しい職業なのに……」

「あら、そんなことやってみなくちゃわからないじゃない」

「だって、確実に周りに迷惑をかけちゃうわ」

「んー、それは大丈夫なんじゃない？　きっとみんな応援してくれるわよ」

「……そんなことわからないじゃないですか。仕事の責任を果たせなくなったような人間を、〝仲間〟として応援してくれるほど、社会は優しいところじゃないんじゃないですか？」

「それは違うわよ、モエゾウ。みんなはあなたを絶対応援するわよ」

「……どうして言い切れるんですか」

「だって、私たちは同じ専門家業、同じ監査法人にいる人間なんだから」

萌実は呆《あき》れた。

「大人なのに、ずいぶん甘ったるい関係ですね」

「そうかもしれないけど、私たちの業界は人数が少ないし、狭いからこそ運命共同体的なところもあるのよ。転職したり独立したりしても、いつまたどこでお世話になるかわからないから、なんていうのか……長期的なビジョンで人づきあいする人が多いのよ。あなたが周りに迷惑をかけるって言っても、たかが四年間でしょ。そんなの、妊娠して出産して、子供にあまり手がかからなくなるのと同じくらいじゃない。みんなそんなの慣れてるわよ」

「はあ……」

「ま、無理には勧めないけど。でも、さっきも言ったけれど、あなたにはもっと幅広い人との交流が必要よ——これからも会計士を続けていきたいんならね」

「？」

「あのね、グラグラしている人間に、信念を持った監査なんてできないのよ」

「——でも、だからこそ私はいま、ここでできた〝仲間〟を大事にしたいんです。大学のことは……自分の足場を固めてから、もう一度ちゃんと考えます」

萌実が言うと、元美は満足そうにニッコリと笑った。

「いい顔になったわね、モエゾウ。楽しみにしているわよ、未来の〝女子大生会計士〟さん！」

その後、萌実は事務所のみんなやクライアント先の社長（株式会社スールガーの今川社長）などにも勧められ、大学行きを決心するのである。

——二年半ほどのち、萌実は監査部のみんなにメールをうった。

その件名は、次のようなものであった。

〝女子大生会計士、はじめました！〟

あとがき

このたびも読んでくださった皆様、どうもありがとうございました。

この本でも「あとがき」から読みはじめた皆様、いらっしゃいませ。

著者の山田真哉でございます。

「なかがき対談」でも話題に出ましたが、通常この女子大生会計士シリーズは「TACNEWS」という専門学校の機関紙に掲載されたものを本にしています。しかし、実はそれ以外の媒体に掲載された作品群もありました。三年ほど前から「まだ本になっていない作品をまとめて本にしませんか？」というお話を角川書店さんからいただいていたのですが、まだ初期の頃の作品だったこともあり、直したいところも多かったので、「また時間があるときに……」と延ばし延ばしにした結果、三年もかかってしまいました。

その甲斐《かい》もあり（?）、元の作品とは大幅に文章が変わっています。特に、監査ファイル2「藤原萌実と謎のプレジデント」などは、後鳥羽社長のキャラ自体が変わっています

（たしかシブい親父だったような……）。

この文庫のための書き下ろし新作が、おまけファイル2「女子大生会計士、はじめました」なのですが、この作品の誕生した経緯はこれまでで一番〝変〟です。なにせ、タイトルに合わせるために書いた作品なのですから。

――話をさかのぼること二ヵ月前、この文庫本のタイトルは『女子大生会計士の事件DX・0《ゼロ》（仮）』でした。この〝0〟には、「初心者向けの話が多い」「（TACNEWS以外で掲載されたため）自己紹介のシーンがある」「だから、この本から読みはじめても大丈夫」という意味がありました。

しかし、編集部から「せっかく特別編なのだから、タイトル自体を変えてもいいんじゃない？」という話が出たため、四つのタイトル候補を考え、私のブログ（『さおだけ屋はなぜ潰れないのか？』100万部？日記）でアンケート投票を行いました。その結果が左です。

1　女子大生会計士の大冒険　（51票）20％
2　女子大生会計士の災難　（75票）29％

3　女子大生会計士の大興奮　（33票）13％
4　**女子大生会計士、はじめました　（99票）38％**

「女子大生会計士、はじめました」のネーミングの由来は、もともとDX．0だから、これを言い換えて「、はじめました」でもいいんじゃない？　という極めて軽いものでした。

ところが、投票の結果、タイトルは『女子大生会計士、はじめました』に決まり、そこで初めて重大なミスに気がついたのです。

「このタイトルだったら、手に取った人は『萌さんが女子大生会計士をはじめる話があるんだろう』と誤解するんじゃないか⁉」ということに……。

公開ブログでタイトルを決めている以上、「誤解を招くタイトルなのでこれはナシ！」といまさら言うわけにもいきませんでした。そこで、無理やり「女子大生会計士、はじめました」という作品を捻《ひね》りだしたのです。タイトル先行の意図せざる作品、まさにひょうたんから駒！

それにしても、よく間に合ったものです、ふーっ。

とは言うものの、萌さんの憧《あこが》れの先輩である氷高元美さんの存在や女子大生会計士になった経緯はずいぶんと前からなんとなく決めていたことなので、こうしてお目にかけることができてよかったです（普段の作品の中だと監査や粉飾事件に絡めないといけないので、なかなか出すチャンスがなかったのです）。

それでは、次にお会いするのはまもなく出版される『女子大生会計士の事件簿5』でしょうか、それとも別の本でしょうか。

いずれにしても、またどこかでお会いできることを楽しみにしております。

二〇〇七年十月

山田　真哉

解説

大塚英志

「会計」というものがさっぱりわからない。これでも一応は書類の上だけとは言え、有限会社と株式会社の「社長」であり、毎年、春になると税理士の人が持ってくる書類を前にあれこれと説明を受け会社の印を押す。「会社」といってもつまりは一つは物書きとしてぼくの家計簿のようなものにしか感じられないし、もう一つは中上健次の本や趣味でやっている雑誌の出版のためのお金の出入りを形の上で記録する「会社」なのだが、ぼくの感覚ではその会社名義の通帳一冊分だけが「会社」の実体でしかないように感じる。それでも書類の上では株主総会は開かれているし、役員会もある。司法書士の人が作ってくれる「書類」にハンコを押す度に、さて、この書類の中の会社は一体、どこにあるのだろう、と思ったりもする。

多分、仕事場のあるのがマンションの一室のフィギュアだらけの部屋でなく、都心のビルの一室で、電話に出るのも机の前に「ハルヒ」のポスターを貼っている元ソフト・オン・

デマンド社員（男）ではなく、美人秘書だったりして、会社の名前の入った封筒とかも作ると少しは会社らしくなるのだろうがどれもこれも面倒くさいのでやっていない。そもそもぼくの仕事場が「会社」になったのも知人に名前をうっかり貸して「役員」になっていたらしい「会社」が行き詰まって社長以下みんな辞めた後に帳簿の上の赤字だけを仕方なく引き継いだのだから自分でまともに「会社」をやろうとする気が最初からあまりない。経営方針は唯一、誰からもお金を借りない、将来入ってくるお金を当てにして何かをしない、というだけだが今のところ「会社」は潰《つぶ》れていないのでそれで問題はないだろう。

つまり「会社」にも「会計」にも一応書類上は関わりながらぼくにはそれが実感できない。

多分、本書を手にとる人もぼくほどは酷《ひど》くはなくとも、「会計」についてはほど遠い人達が少なくないのではないか。そしてそこには心の底では、本当はちょっとは勉強しないといけないんだけどね、と思いつつ、という人が相当数含まれるはずだ。本書の解説を引き受けたのも、「会計なんかわかるかよ」と半ば居直り気味に思いつつ、今年の春も税理士さんが来年こそは少しはこれを使えるようになって下さいね、といって置いていった会計ソフトのお試し版が机の上のコースター代わりになっていることにぼくなりの良心の呵《か》責《しゃく》があったからだ。だってこのソフト、Ｗｉｎｄｏｗｓ版だし、うちは死んでもＭａｃしか使わないって方針だから、という子供じみた言い訳は当然、税理士の人には通じないが、長い付き合いなので向こうも諦《あきら》めているのは薄々感じる。それでも毎年律儀に帳簿についての説明を上の空のぼくを前にしてくれて、会計用のお試しソフトを置いていく税理士の人の顔がつい浮かんでしまって、何だか、「会計」と題名のついた本の解説が断りづらかったのである。会計ソフトは一生つかえないとしても「会計」小説の解説ならなんとかなる、という心理学的にいったら逃避というか代償いうか転嫁というか、まあ、そういうことである。

　とはいえ、当然だが、本書にとやかく言えるのは「小説」としての部分であって「会計」の部分では当然ない。

　だから読者にしてみれば余計なお世話だろうがこの小説の「面白さ」について、以下、「解説」しておくことにする。

　それで、いきなり結論するが、多分、本書の「面白さ」は韓流《かんりゅう》ドラマのような性格のものだ、と思う。それは本書が小説としてはちょっと異質というか、変わっている点だ。そもそも、韓流ドラマの特徴は、日本の少女まんがの「文法」を持ち込んだこと、それから「情報」性だ。

前者については、例えば韓流ドラマでは、「女優が目を中央に寄せて卒倒する」といった演技がしばしばなされるが、それは七〇年代の日本の少女まんがにおけるラブコメの「文法」の転用だ。そもそもペ・ヨンジュンの「メガネ」「マフラー」「ちょっと長髪」というキャラクターのギミックは田淵由美子とか太刀掛秀子とかの「乙女ちっく」派のまんがに描かれた彼氏像と同じであって、七〇年代少女まんがの読者がオバサンになった時、同じギミックや「文法」からなる韓流ドラマにハマるのは当然なのである。

これはドラマだけではなく映画にもいえることで、例えばポン・ジュノの映画『グエムル 漢江の怪物』を見ているとカット割りや構図が日本のまんがのコマ割りをどうしても連想させるが実際、監督自身が浦沢直樹や宮崎アニメから映画の「文法」を学んだと述べている。韓国だけでなくハリウッド映画の関係者と話していても実は日本のまんがの演出を映画の演出に「翻訳」することに興味をもっている人がいたりするが、韓国のドラマや映画はいい意味でまんがの演出やギミックを何のためらいもなく映画に「翻訳」しているところがある。

「情報」については、韓流ドラマは実はけっこう舞台となった時代時代の政治的背景がきちんと描かれていて、韓国の近代史が思いの外、理解できる仕掛けになっている。先日、対談したちょっとシャレにならないぐらい高名な文芸批評家は実は韓流ドラマに今更ながらハマっていて、それはなまじ歴史書を読むより遥《はる》かに韓国の歴史事情がわかるからでもある、と語っていたのはその証拠だ。

本書の「面白さ」も、つまりは「まんがの文法」と「情報」がセットになっている小説だからだとひとまずいってよい。ヒロインのキャラクターの行動パターンやセリフ回しは良い意味でコテコテのまんがの「文法」だ。「萌」と「カッキー」の会話を読んでいただけでぼくなどはまんが原作者だからほぼ正確にコマが浮かんでくる。そこに公認会計士という作者の専門をバックボーンとした「情報」がセットになっているのである。

青木雄二の『ナニワ金融道』がそうであるように自分たちの知らない業界の「情報」というのはそれだけで面白い。ぼくは少し前、小説の面白さは「泣ける」「怖い」といったサプリメント的効果か、「情報」の有無のいずれかに求められることになったと記した覚えがある。本書はそもそもが公認会計士の資格試験用の受験雑誌に掲載されていたようだが、それ故に「情報」を盛り込まねばならなかった本書は小説として「情報」という「面白さ」を読者に第一に提供する仕掛けになる。

しかし、である。重要なのは、読者は小説から「情報」を読み取っているつもりかもしれないが、そこで受け止めているのは大袈裟《おおげさ》に言えば「世界認識の方法」だ、とは思う。つまり、公認会計士から見た時、なるほど世界はこうみえるのか、という点がおもしろい。

ぼくたちの多くが会計に関わる書類を「読めない」のは、会計士の知識がないからだが、しかし同時に会計士のように世界を見ることができないからだ。

もちろん世界認識の方法は会計士だけではなく、あらゆる職業や立場の全てに成立する。ぼくは未《いま》だに税理士と会計士の違いがわからないほどこの方面には疎いが、きっと税理士には税理士の世界の見方があるはずで、それは「小説」という形をとって初めて第三者に理解可能になるはずだ。

本書の最終的な「面白さ」とはこの点にある。会計士がいかに世界を読みとっているのか、その作法が「面白い」のである。作中で繰り返し描かれる、会社の決算書に並ぶ数字の見方によって、現実の会社の見方もまた大きく変わっていく、という事実に成る程と思う。会計書類というのも、一つの「世界の観方」なのだと改めて思う。

実を言うと作者はぼくの小説入門書を手にして本当に本書を書いてしまった人らしいのだが、それが可能だったのは会計士として会計の書類や報告書を書くことが、つまりは会計士的世界観で世界を観ることであったからだと思う。

「小説を書く」ことにとって、当然だが演出上の技術やストーリー構築の「文法」は必要だが、一番重要なのは創り手がオリジナルの「世界の観方」をもっているかどうかにある。

その点、本書の作者は「会計士」として書類を書き帳簿をチェックすることで日々、

「会計士」という普通の人々とは違う方法で「世界」を観ていたのである。言い方を変えれば、「小説」という形をとらないで既に会計上の書記という形で日々、「小説」を書いてきたといってよい。

本当は「文学」とかつて呼ばれていた小説こそが作者が読者にとっては未知の「世界記述の方法」を示すものだった。小説を読んだことで、「世界」が全く違って見える、という「文学」がかつては可能とし、今はもうできない経験を専門職による情報小説はかろうじて経験させてくれるのである。

しかし、である。本当は自分の職業や立場にも実はそれぞれに固有の「世界の観方」があるはずで、それに気づけば誰にでも「小説」は書けるとぼくは考える。

そのためには、むしろ、小説の技術を学ぶ以前に、それぞれの人がそれぞれの仕事や立場から、日々、世界を観て、現実を生きることが大切であって、会計士の書類が小説形式をとらない小説であるように、たいていの人は自分たちの場所で既に小説でない小説を別の形で書いているはずなのである。

あとは作者が試みたように『物語の体操』をちょろっと読んでくれれば何とかなる（はずだ）。そうやって様々な「世界の観方」が表現されていくのは悪いことではない。

〈初出一覧〉

「〈アキハバラ会計士遁走曲《フーガ》〉事件」

野性時代'07年9月号（「女子大生会計士の事件簿　出張版」を改題）

「〈藤原萌実と謎のプレジデント〉事件」

『世界一やさしい会計の本です』（日本実業出版社）に収録した「一億円の謎を追え！」「競馬と社長と女子大生」「馬も走れば疲れていく」「詐欺師を欺く女子大生」をもとに改稿

「〈逆粉飾の殺人〉事件」

『非常識会計学！』（中央経済社）に収録した「ベンチャー企業殺人事件」を改稿

「〈萌実版　ヴェニスの商人〉事件」

TACNEWS'07年7月号

「〈女子大生会計士、はじめました〉事件」

書き下ろし

女子《じょし》大生《だいせい》会計士《かいけいし》、はじめました

藤原萌実《ふじわらもえみ》と謎《なぞ》のプレジデント

山田真哉《やまだしんや》

角川文庫 14894

平成十九年十一月二十五日　初版発行

発行者—井上伸一郎

発行所—株式会社角川書店
東京都千代田区富士見二—十三—三
電話・編集（〇三）三二三八—八五〇六
〒一〇二—八〇七八

発売元—株式会社角川グループパブリッシング
東京都千代田区富士見二—十三—三
電話・営業（〇三）三二三八—八五二一
〒一〇二—八一七七
http://www.kadokawa.co.jp

印刷所—暁印刷　製本所—BBC

装幀者—杉浦康平

定価はカバーに明記してあります。

や 37-7

ISBN978-4-04-376705-2　C0193

角川文庫発刊に際して

角　川　源　義

第二次世界大戦の敗北は、軍事力の敗北であった以上に、私たちの若い文化力の敗退であった。私たちの文化が戦争に対して如何に無力であり、単なるあだ花に過ぎなかったかを、私たちは身を以て体験し痛感した。西洋近代文化の摂取にとって、明治以後八十年の歳月は決して短かすぎたとは言えない。にもかかわらず、近代文化の伝統を確立し、自由な批判と柔軟な良識に富む文化層として自らを形成することに私たちは失敗して来た。そしてこれは、各層への文化の普及滲透を任務とする出版人の責任でもあった。

一九四五年以来、私たちは再び振出しに戻り、第一歩から踏み出すことを余儀なくされた。これは大きな不幸ではあるが、反面、これまでの混沌・未熟・歪曲の中にあった我が国の文化に秩序と確たる基礎を齎らすためには絶好の機会でもある。角川書店は、このような祖国の文化的危機にあたり、微力をも顧みず再建の礎石たるべき抱負と決意とをもって出発したが、ここに創立以来の念願を果すべく角川文庫を発刊する。これまで刊行されたあらゆる全集叢書文庫類の長所と短所とを検討し、古今東西の不朽の典籍を、良心的編集のもとに、廉価に、そして書架にふさわしい美本として、多くのひとびとに提供しようとする。しかし私たちは徒らに百科全書的な知識のジレッタントを作ることを目的とせず、あくまで祖国の文化に秩序と再建への道を示し、この文庫を角川書店の栄ある事業として、今後永久に継続発展せしめ、学芸と教養との殿堂として大成せんことを期したい。多くの読書子の愛情ある忠言と支持とによって、この希望と抱負とを完遂せしめられんことを願う。

一九四九年五月三日

12345678.

角川文庫ベストセラー

木島日記　大塚英志

昭和初期の東京。歌人にして民俗学者の折口信夫は古書店「八坂堂」に迷い込む。仮面の主人・木島平八郎は、信じられないような素性を語りだす。

多重人格探偵サイコ
雨宮一彦の帰還　大塚英志

一九七二年、軽井沢の山荘で暴発した革命運動の最後の生き残りが、警視庁キャリア・笹山徹に遺した奇妙な遺言。ルーシーとは誰なのか…。

多重人格探偵サイコ
小林洋介の最後の事件　大塚英志

恋人の復讐のため連続殺人犯を射殺した刑事・小林洋介の内部に新たに生まれた幾多の人格は暴走するのか…。

多重人格探偵サイコ
西園伸二の憂鬱　大塚英志

刑事・小林洋介の内部に生まれた新たな人格、それを人は「多重人格探偵・雨宮一彦」と呼び、恐怖した。雨宮に救いはあるのか？

くもはち
偽八雲妖怪記　大塚英志

夏目漱石や柳田國男ら明治の文士を悩ます怪事件。三文怪談作家のくもはちと、のっぺら坊のむじなのコンビが明治に妖怪を追う、民俗学ミステリ。

バッテリー　あさのあつこ

天才ピッチャーとして絶大な自信を持つ巧に、バッテリーを組もうと申し出る豪。大人も子どもも夢中にさせた、あの名作がついに文庫化！

バッテリーII　あさのあつこ

中学生になり野球部に入った巧と豪。二人を待っていたのは、流れ作業のように部活をこなす先輩達だった。大人気シリーズ第二弾！

角川文庫ベストセラー

超人計画　滝本竜彦

ダメ人間ロードを突っ走る自分はこのままでよいのか？　いや、己を変えるには超人になるしかない！　脳内彼女レイと手を取り進め超人への道!!

夏休みは命がけ！　とみなが貴和

銃を持って失踪した幼なじみを追う、高校二年生の瓜生。右も左もわからぬ東京を舞台に、危険な追跡劇が幕を上げる！　青春冒険小説の傑作！

僕と先輩のマジカル・ライフ　はやみねかおる

幽霊が現れる下宿、プールに出没する河童……。大学一年生の井上快人は、周辺に起こる怪しい事件を解きあかす！　青春キャンパス・ミステリ！

本格推理委員会　日向まさみち

音楽室に女性の幽霊が現れたとの噂。高校生の城崎修はこの怪談話を探り始めるが、そこには思わぬ真実が待っていた!!　次世代青春&ミステリ！

千里眼　The Start　松岡圭祐

累計四百万部を超える超人気シリーズがまったく新しくなって登場。日本最強のヒロイン、臨床心理士岬美由紀の活躍をリアルに描く書き下ろし！

千里眼　ファントム・クォーター　松岡圭祐

拉致された岬美由紀が気付くとそこは幻影の地区と呼ばれる奇妙な街角だった。極秘に開発される見えない繊維を巡る争いを描く書き下ろし第2弾。

千里眼の水晶体　松岡圭祐

高温でなければ活性化しないはずの旧日本軍の生物化学兵器が気候温暖化により暴れ出した！　ワクチンは入手できるのか？　書き下ろし第3弾！

角川文庫ベストセラー

千里眼　ミッドタウンタワーの迷宮　　松岡圭祐

東京ミッドタウンに秘められた罠に岬美由紀が挑む。国家の命運を賭けて挑むカードゲーム、迫真の心理戦、そして生涯最大のピンチの行方は?!

千里眼　堕天使のメモリー　　松岡圭祐

メフィスト・コンサルティングの仕掛ける人工地震が震度7となり都心を襲う。彼らの真の目的は？帰ってきた「水晶体」の女との対決の行方は？

ロマンス小説の七日間　　三浦しをん

海外ロマンス小説翻訳家のあかり。恋人に対するイライラを思わず翻訳中の小説にぶつけてしまって…！　注目作家が書き下ろす新感覚恋愛小説。

月魚　　三浦しをん

古書店『無窮堂』の若き当主真志喜とその友人で同じ業界に身を置く瀬名垣。二人は密かな罪の意識を共有してきた。〈解説：あさのあつこ〉

白いへび眠る島　　三浦しをん

十三年ぶりの大祭でにぎわう島に流れる噂。【あれ】が出たと…。二人の少年が体験する、夏の冒険譚。三浦しをんの新たなる世界！

氷菓　　米澤穂信

『氷菓』という文集に秘められた三十三年前の真実――。日常に潜む謎を次々と解き明かしていく奉太郎の活躍。青春ミステリ界に新鋭デビュー！

愚者のエンドロール　　米澤穂信

未完で終わったミステリー映画の結末を探してほしい。依頼された奉太郎が見つけた真のラストとは!?『氷菓』に続く〈古典部〉シリーズ第2弾！